# 大学入試数学　不朽の名問100

## 大人のための〝数学腕試し〟

鈴木貫太郎　著

ブルーバックス

装幀／芦澤泰偉・児崎雅淑

# まえがき——良問とは何か？

　大学入試の数学の記述式試験においての暗黙の了解として、「教科書に載っている定理・公式は証明なしで解答に用いてよい」というものがあります。しかし、その一方で、

「$\sin$, $\cos$ の加法定理を証明せよ」（東京大学）、

$\sum k, \sum k^2, \sum k^3$ の公式を証明せよ（九州大学）、

$\lim\limits_{x \to 0} \dfrac{\sin x}{x} = 1$ を証明し、それを用いて $\sin$ の微分公式 $(\sin x)' = \cos x$ を導け（大阪大学）

といったように、いずれも普通の問題の解答過程では、証明なしで用いてよいとされている定理・公式そのものを証明させる問題が出されたこともあります。

　このような証明問題の出題者は「ふだん丸暗記して使っている定理・公式を、あなたはその本質を理解した上で使っていますか？」ということを問うているのではないでしょうか。

　良問か否かの判断は往々にして個人の感覚といった曖昧な要素に依るところが大きいので、それが何かを定義することは難しいことです。しかし、それでもあえて定義しようとした時に、まず考慮すべき点として、その問題が入学試験における問題である以上、受験者を峻別する機能があるか否かは大事な要素でしょう。その意味では全員が解ける問題も、誰も解けない問題も良問とは言えません。

　ただ、大学入試において正答率 100 % という問題はほぼないでしょう。正答率 85 % くらいの問題はいくらでもある

でしょうが、たとえ15％でも間違えている人がいるならば「全員ができる問題」ではありません。簡単なことすらミスしてしまう、または理解していない15％の人をはじく機能は十分に果たしているので、ただちに悪問とは言えません。むしろ基本的な理解を確認する良問である場合も多いです。しかし、95％を超えてくると、あまりに典型的すぎて入試問題としての機能は果たしていないかもしれません。

　正答率100％の問題は、おそらく過去に例がないでしょうが、正解者0人の問題は多数あったのではないかと思われます。そういった問題も、結果的には正解者がいなかったが、どんな難問でも解いてしまう大天才を発見するという機能はあるので、一概に悪問と決めつけてしまうわけにはいきません。ただし、それはふだんの勉強に積極的に取り入れていく良問ではないでしょう。

　数学の学習で、公式はもちろん解法パターンもすべて暗記してしまい、あとはひたすら問題演習を暗記した公式・解法パターンに当てはめて解くという勉強法を実践する人は多数います。さらに、それを推奨する指導者もたくさんいます。そして何よりその方法で合格を勝ち取った受験生は枚挙に暇がありません。なので、「公式・解法パターン暗記勉強法」を否定するわけにはいきません。

　ただ、「公式・解法パターン暗記勉強法」といっても、その中身を精査すると2通りあると思います。公式・解法パターンの本質を理解した上でそれを用いる人と、本質はすっ飛ばして、ただひたすら上辺だけを丸暗記して反復練習する人の2通りです。後者は先に紹介したような定理・公式証明問題に対しては、手も足も出なくなってしまいます。また、

4

定理・公式の証明問題だけではなく、本質的な部分では典型的な解法パターンと同じですが、見た目がちょっと変化していて、一見しただけでは既知の解法パターンに当てはまるようには見えない問題も、本質すっ飛ばして丸暗記している人にとっては未知の問題に見えてしまいます。

　では、結局のところ良問の定義はどうすべきでしょうか。良問とは、本質をきちんと理解している人とそうでない人を峻別できる問題なのではないでしょうか。その意味では、定理・公式証明問題は良問に含めるべきだと思います。出題者の「定理・公式は単に結果を丸暗記するのではなく、本質を理解して証明できるようにしてから使ってください」というメッセージを、真摯に受け止めるべきでしょう。そして、大学側もそのメッセージを発し続けるために、定理・公式証明問題を、数年に１問程度の頻度でいいから出し続けるべきだと思います。

　それ以外の一般的な問題においては、一見典型的な解法パターンとは違うように見えて、根本的な部分においては典型問題と同じであるような、本質を理解していればその場で考えて対応できる、変化のある問題が良問といえるのではないでしょうか。

## 伝説の良問

　東大の伝説の入試問題と言われているものの一つに「円周率が 3.05 より大きいことを証明せよ」というのがあります（2003 年）。これが問題文の全文で、単純な計算問題を除けば、当時、大学入試史上最短の数学の問題ではないかとも言われました（後に京都大学が「tan 1° は有理数か」とい

う問題を出して最短記録を更新したと言われています）。ま
た、この問題の平均点は低かったそうです（この証明は「ま
えがき」の後ろで紹介します）。

　この問題は、小学校で円周率 ≒ 3.14 と習い、その後証明
なしに使うことが許されている事実を証明するので、「定理・
公式証明問題」に分類されると思います。

　ところで「本質」とはなんでしょうか。数学において「本
質」とは、その定義を示す場合が多いです。私が塾で数学を
教えていた時、私は定義を大事にする方針だったので、あり
とあらゆる定義について、しつこいくらいに生徒に問いかけ
ていました。なので「円周率とは何？」という質問もたく
さんの生徒に聞いてきました（私が塾講師をしていたのは
2001 年までなので、さきほどの東京大学の問題の出題以前
です）。この質問をした時のやり取りはいつも同じでした。
「円周率って何？」「π！」「じゃーπって何？」「3.14 ！」
「3.14 ってなんの数字？」「円周率！」「だから円周率って何
だよ？」「だからπ！」以下無限ループ。この質問に正しく
「円周率とは、直径に対する円周の割合、すなわち $\dfrac{円周}{直径}$」
と答えてくれた生徒は、ただの一人もいませんでした。

　東大の入試の二次試験は、6 割くらいとれば合格ラインに
達するので、数学ではどの問題を捨てるかを見極めるのも合
格のために必要な力です。さすがに東大を受けるような優
秀な生徒が、円周率の定義がわからなくてこの問題ができな
かったのではなく、「捨て問」と判断した人が多くて平均点
が低かったのでしょう。しかし、円周率の定義から円周率
の本質を捉え、先人たちがどのようにして円周率を求めてき

たかという、どんな教科書にも書いてある当り前の歴史を踏まえれば、瞬時に解法が思いつき容易に得点できるこの問題を、一瞥で捨てると判断した人は、やはり「本質」を理解していなかったのではないでしょうか。

　この問題は本質を理解している人とそうでない人とで、きっちり差のつく良問と言えるでしょう。

　本書は受験問題集ではありません。受験から何十年もたった大人の方にとくに読んで欲しい本です。人間誰しも時が経てば忘れます。とくに地名・人名・根拠のない数字などは、すぐに忘れてしまうでしょう。しかし、どうしてそうなるのかという、本質を理解して覚えたことは、そう簡単には忘れません。例えば、日本での最高気温がどこで何度であったかなどは、地名にも数字にもさしたる根拠がないので、すぐに忘れてしまいます。しかし、夏が暑い根本的な理由は、理論を理解して覚えたならば一生忘れないのではないでしょうか。

　これから紹介する 100 問、解き方をすっかり忘れてしまっているものがほとんどかもしれません。だとするならば、もしかしたら、受験生時代にやっていた勉強は理論を無視した、たんなる暗記だったのかもしれません。でもそれは目の前の受験を突破するには仕方のなかったことでしょう。しかし、受験という呪縛から解き放たれた今こそ、その本質をじっくり味わってみてはいかがでしょうか。

2021 年 3 月　　鈴木貫太郎

# $\pi > 3.05$ の証明

円周率：$\pi = \dfrac{\text{円周}}{\text{直径}}$ でした。

ここで、直径 $= 1$ の円を考えると、この円は、円周 $=$ 円周率 $\pi$ となります。

この円に内接する、正六角形を考えてみましょう。

この正六角形の対角線を結んでいくと 6 個の正三角形ができます。この正三角形の 1 辺の長さは、ちょうど円の半径になっていますので、

正三角形の 1 辺 $= \dfrac{1}{2}$

だとわかります。

このことから、この円周

は、$\pi > \dfrac{1}{2} \times 6 = 3$

よって、円周率 $\pi > 3$ で
あることがわかりました。

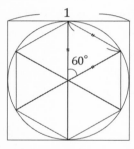

昔は、内接・外接する正多角形の辺の長さを求めて、はさみこんでいくことで円周率を求めていったのだそうです。

さて、問題文の証明は「$\pi > 3.05$」です。どうやら内接する正多角形の角数を増やしていくと、その周囲はだんだん円周に近づいていきそうだ、という予想が立てられます。そこで、正八角形でもいいのですが、$360 \div 8 = 45°$ となり、少し計算が面倒くさそうです。

ここでは、内接する正 12 角形を考えてみることにします。また、ここからは半径 $= 1$ の円を用いることにします。

正 12 角形を三角形に分割すると、その頂角は30°となります。また、この三角形の底辺の長さを $x$ とすると、この証明は、$12x < 3.05 \times 2 = 6.1$ を示せばいいことがわかります。

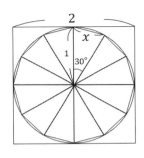

「余弦定理」を使うと、

$$x^2 = 1^2 + 1^2 - 2\cos 30° = 2 - 2 \cdot \frac{\sqrt{3}}{2} = 2 - \sqrt{3}$$

$x = \sqrt{2 - \sqrt{3}}$ となり、この二重根号をはずします。

この式を変形し、

$$x = \sqrt{\frac{4 - 2\sqrt{3}}{2}} = \sqrt{\frac{(\sqrt{3}-1)^2}{2}} = \frac{\sqrt{3}-1}{\sqrt{2}}$$

この問題では $\sqrt{2}, \sqrt{3}$ の近似値が与えられていません。

そこで、この値を求める必要がありますが、頭の中で、$\sqrt{2} =$ ヒトヨヒトヨ……と呟きながら、$1.41^2 < \sqrt{2}^2 < 1.42^2$, $1.73^2 < \sqrt{3}^2 < 1.74^2$ と書き出します。

上より、求めたい $x$ は、

$$\frac{1.73 - 1}{1.42} < x < \frac{1.74 - 1}{1.41}$$ と表せ、これを計算すると、

$0.514\cdots < x < 0.524\cdots$

$6.168\cdots < 12x(= 直径\,2) < 6.288\cdots$

∴ $3.084\cdots < \pi < 3.144\cdots$ となり、$\pi > 3.05$ であることが示されました。

この問題は、高校一年までに習う範囲で答えることのできる問題だったのです！

# 目　次

良問 100 問題集

# 第 1 章　整数 1

## 問題 1

$n$ を自然数とするとき、$4^{2n-1} + 3^{n+1}$ は 13 の倍数であることを示せ。

（信州大学　2012 年　（2）以降を省略）

## 問題 2

$5^{2n-1} + 7^{2n-1} + (23)^{2n-1}$　がすべての正の整数 $n$ について 35 で割り切れることを証明せよ。

（弘前大学　2013 年）

## 問題 3

素数 $p,\ q$ を用いて $p^q + q^p$ と表される素数をすべて求めよ。

（京都大学　2016 年）

## 問題 4

正の整数 $m, n$ によって与えられる 2 次方程式
$x^2 - mnx + m + n = 0$ のうち、根がともに整数となる
ようなものをすべて求めよ。

（東京医科歯科大学　1973 年）

## 問題 5

$p$ を素数、$n$ を 2 以上の自然数とするとき、方程式 $x^n - p^n x - p^{n+1} = 0$ は整数解をもたないことを証明せよ。

（千葉大学　2009 年）

## 問題 6

整数 $a_n = 19^n + (-1)^{n-1} 2^{4n-3}$ $(n = 1, 2, 3, \cdots\cdots)$ の
すべてを割り切る素数を求めよ。

（東京工業大学　1986 年）

## 問題 7

$n^3 - 7n + 9$ が素数となるような整数 $n$ をすべて求めよ。

（京都大学　2018 年）

## 問題 8

以下の問いに答えよ。

(1)　$3^n = k^3 + 1$ をみたす正の整数の組 $(k, n)$ をすべて求めよ。

(2)　$3^n = k^2 - 40$ をみたす正の整数の組 $(k, n)$ をすべて求めよ。

（千葉大学　2010 年）

## 問題 9

$n$ を正の整数とする。実数 $x, y, z$ に対する方程式
$$x^n + y^n + z^n = xyz \cdots\cdots ①$$　を考える。

(1)　$n = 1$ のとき、① を満たす正の整数の組 $(x, y, z)$ で、$x \leq y \leq z$ となるものをすべて求めよ。

(2)　$n = 3$ のとき、① を満たす正の実数の組 $(x, y, z)$ は存在しないことを示せ。

（東京大学　2006 年）

## 問題 10

(1), (2) 省略。

(3) $a^2 + b^2 = 3c^2$ を満たす自然数 $a, b, c$ は存在しないことを証明せよ。

（九州大学　2014 年）

**問題 11**

(1) 5 以上の素数は、ある自然数 $n$ を用いて $6n+1$ または $6n-1$ の形で表されることを示せ。

(2) $N$ を自然数とする。$6N-1$ は、$6n-1$ ($n$ は自然数) の形で表される素数を約数にもつことを示せ。

(3) $6n-1$ ($n$ は自然数) の形で表される素数は無限に多く存在することを示せ。

(千葉大学　2009 年)

**問題 12**

$\alpha$ を 2 次方程式 $x^2 - 2x - 1 = 0$ の解とするとき、$(a+5\alpha)(b+5c\alpha) = 1$　をみたす整数の組 $(a, b, c)$ をすべて求めよ。ただし、必要ならば $\sqrt{2}$ が無理数であることは証明せずに用いてよい。

(大阪大学　2009 年)

# 第 2 章 整式の剰余

## 問題 13

$n$ を正の整数とする。

整数 $x^n$ を $x^5 - 1$ で割った余りを求めよ。

（大分大学　2004 年）

## 問題 14

多項式 $(x^{100} + 1)^{100} + (x^2 + 1)^{100} + 1$ は

多項式 $x^2 + x + 1$ で割り切れるか。

（京都大学　2003 年）

## 問題 15

整式 $P(x)$ を $(x + 1)^2$ で割ったときの余りは 9 であり、$(x - 1)^2$ で割ったときの余りは 1 である。$P(x)$ を $(x + 1)^2 (x - 1)^2$ で割ったときの余りを求めよ。

（山形大学　2006 年）

# 第3章　記数法・N進法

## 問題 16

ある正の数 $N$ を5進法で表わすと、整数部分が2けたの循環小数 $xy.\dot{z}$ となる。また、$N-1$ を7進法で表わすと、整数部分が2けたの循環小数 $zy.\dot{x}$ となる。このとき、$x, y, z$ の値を求めよ。

（金沢大学　1969 年）

## 問題 17

7進法で表わすと3けたとなる正の整数がある。これを11進法で表わすと、やはり3けたで、数字の順序がもととちょうど反対となる。このような整数を10進法で表わせ。

（神戸大学　1968 年）

## 問題 18

$n$ を4以上の自然数とする。数 $2, 12, 1331$ がすべて $n$ 進法で表記されているとして、$2^{12} = 1331$ が成り立っている。このとき $n$ はいくつか。十進法で答えよ。

（京都大学　2016 年）

# 第 4 章　場合の数・確率

## 問題 19

（1）　1000 から 9999 までの 4 桁の自然数のうち、1000
や 1212 のようにちょうど 2 種類の数字から成り立っ
ているものの個数を求めよ。

（2）　$n$ 桁の自然数のうち、ちょうど 2 種類の数字から
成り立っているものの個数を求めよ。

（北海道大学　2002 年）

## 問題 20

1 から $n$ までの番号のついた $n$ 枚の札が袋に入っている。
ただし $n \geqq 3$ とし、同じ番号の札はないとする。この袋
から 3 枚の札を取り出して、札の番号を大きさの順に並
べるとき、等差数列になっている確率を求めよ。

（京都大学　2005 年）

## 問題 21

$n \geqq 3$ とする。1, 2, $\cdots$, $n$ のうちから重複を許して 6 個の数字をえらび、それを並べた順列を考える。このような順列のうちで、どの数字もそれ以外の 5 つの数字のどれかに等しくなっているようなものの個数を求めよ。

（京都大学　1993 年）

## 問題 22

3 人で‘ジャンケン’をして勝者をきめることにする。たとえば、1 人が‘紙’を出し、他の 2 人が‘石’を出せば、ただ 1 回でちょうど 1 人の勝者がきまることになる。3 人で‘ジャンケン’をして、負けた人は次の回に参加しないことにして、ちょうど 1 人の勝者がきまるまで、‘ジャンケン’をくり返すことにする。このとき、$k$ 回目に、はじめてちょうど 1 人の勝者がきまる確率を求めよ。

（東京大学　1971 年・東北大学　2004 年）

## 問題 23

$n$ を正の整数とし、$n$ 個のボールを 3 つの箱に分けて入れる問題を考える。ただし、1 個のボールも入らない箱があってもよいものとする。以下に述べる 4 つの場合について、それぞれ相異なる入れ方の総数を求めたい。

(1)　1 から $n$ まで異なる番号のついた $n$ 個のボールを、A,B,C と区別された 3 つの箱に入れる場合、その入れ方は全部で何通りあるか。

(2)　互いに区別のつかない $n$ 個のボールを、A,B,C と区別された 3 つの箱に入れる場合、その入れ方は全部で何通りあるか。

(3)　1 から $n$ まで異なる番号のついた $n$ 個のボールを、区別のつかない 3 つの箱に入れる場合、その入れ方は全部で何通りあるか。

(4)　$n$ が 6 の倍数 $6m$ であるとき、$n$ 個の互いに区別のつかないボールを、区別のつかない 3 つの箱に入れる場合、その入れ方は全部で何通りあるか。

（東京大学　1996 年）

## 問題 24

袋の中に赤玉 $n-7$ 個、白玉 7 個の合計 $n$ 個の玉が入っている。ただし、$n \geqq 10$ とする。この袋から一度に 5 個の玉を取り出したとき、赤玉が 3 個、白玉が 2 個取り出される確率を $P_n$ とする。$P_n$ が最大となる $n$ の値を求めよ。

（早稲田大学　2014 年）

## 問題 25

1個のさいころを繰り返し投げ、出た目を順にかけて積を作っていく。

(1) $n$ 回さいころを投げたときはじめて積が 12 になる確率 $p_n$ を求めよ。

(2) $n$ 回さいころを投げたとき積が 12 である確率 $q_n$ を求めよ。

(一橋大学　1996 年)

# 第 5 章 指数・対数

## 問題 26

すべての実数 $x$ に対して不等式 $2^{2x+2} + 2^x a + 1 - a > 0$ が成り立つような実数 $a$ の範囲を求めよ。

（東北大学　2009 年）

## 問題 27

次の不等式を満たす $x$ の範囲を求めよ。
$$\log_2(1-x) + \log_4(x+4) \leqq 2$$

（大阪大学　1975 年）

## 問題 28

$n$ を自然数とする。5832 を底とする $n$ の対数 $\log_{5832} n$ が有理数であり $\dfrac{1}{2} < \log_{5832} n < 1$ を満たすとき、$n$ を求めよ。

（群馬大学　2014 年）

## 問題 29

$6^n$ が 39 桁の自然数になるときの自然数 $n$ を求めよ。その場合の $n$ に対する $6^n$ の最高位の数字を求めよ。ただし、$\log_{10} 2 = 0.3010$, $\log_{10} 3 = 0.4771$ とする。

（東北大学　2006 年）

## 問題 30

(i)　$n$ を自然数とする。$2^n$ が 4 桁の数になるときの $n$ を求めよ。

(ii)　$5^{130}$ は何桁の数か。

（札幌医科大学　2019 年　(1)、(2) は省略）

## 問題 31

自然数 $m, n$ と $0 < a < 1$ を満たす実数 $a$ を、等式 $\log_2 6 = m + \dfrac{1}{n + a}$ が成り立つようにとる。

以下の問いに答えよ。

(1)　自然数 $m, n$ を求めよ。

(2)　不等式 $a > \dfrac{2}{3}$ が成り立つことを示せ。

（大阪大学　2006 年）

## 問題 32

$m, n$ は正の整数で、$m < n$ とする。$0 < x < 1$ のとき、$\left(1 + \dfrac{x}{m^2}\right)^m$, $\left(1 + \dfrac{x}{n^2}\right)^n$ の大小を定めよ。

(東京工業大学　1977 年)

# 第6章 微分・積分

## 問題 33

方程式 $x^3 + x - 8 = 0$ は

(1) ただ1つの実根を、1と2との間にもつことを示せ。

(2) この根は無理数であることを証明せよ。

（京都大学　1966 年）

## 問題 34

次の空欄を適当な数で埋めよ。$x$ を未知数とする3次方程式 $8x^3 - 6x + 1 = 0$ は、$0 < x < 1$ の範囲に $\boxed{\text{イ}}$ 個の実解を持つ。$\alpha,\ \beta,\ \gamma$ をこの方程式の解とする。$\alpha\beta + \beta\gamma + \gamma\alpha$ の値を求めると、$\alpha\beta + \beta\gamma + \gamma\alpha = \boxed{\text{ロ}}$ である。$S = \displaystyle\sum_{n=0}^{\infty} (\alpha^n + \beta^n + \gamma^n)$ の値を求めると、$S = \boxed{\text{ハ}}$ である。

（慶應義塾大学　1993 年　(2) 以降省略）

## 問題 35

$n$ を 3 以上の整数とする。関数 $f(x) = 2x^{n+1} - 4x^n + 3$ について、次の問に答えよ。

(1)　$f\left(\dfrac{3}{2}\right)$ の符号を調べよ。

(2)　方程式 $f(x) = 0$ の正の解、負の解の個数を求めよ。

（東北大学　1983 年）

## 問題 36

$a$ は実数とする。3 次方程式 $x^3 + 3ax^2 + 3ax + a^3 = 0$ の異なる実数解の個数は、定数 $a$ の値によってどのように変わるかを調べよ。

（横浜市立大学　2004 年）

## 問題 37

$n$ を正の整数とする。3 次方程式 $x^3 + 3nx^2 - (3n+2) = 0$ について、次の問いに答えよ。

(1)　すべての正の整数 $n$ について、上の 3 次方程式は正の解をただ 1 つしかもたないことを証明せよ。

(2)　各正の整数 $n$ に対して、上の 3 次方程式の正の解を $a_n$ とする。極限値 $\lim_{n \to \infty} a_n$ を求めよ。

（弘前大学　2008 年）

**問題 38**

放物線 $C : y = \dfrac{1}{2}x^2 - 1$ 上にない点 $P(a, b)$ をとる。

放物線 $C$ 上の点 $Q$ に対し直線 $PQ$ が点 $Q$ での $C$ の接線と垂直に交わるとき、直線 $PQ$ を $P$ から $C$ への垂線という。

点 $P(a, b)$ から $C$ へ 3 本の異なる垂線が引けるための $a, b$ に関する条件を求めよ。

（信州大学　2011 年）

**問題 39**

$k$ は整数であり、3 次方程式 $x^3 - 13x + k = 0$ は 3 つの異なる整数解をもつ。$k$ とこれらの整数解をすべて求めよ。

（一橋大学　2005 年）

**問題 40**

$f(x) = 2x^3 + x^2 - 3$ とおく。直線 $y = mx$ が曲線 $y = f(x)$ と相異なる 3 点で交わるような実数 $m$ の範囲を求めよ。

（大阪大学　2005 年）

## 問題 41

$a$ は $0$ でない実数とする。

関数 $f(x) = (3x^2 - 4)\left(x - a + \dfrac{1}{a}\right)$

の極大値と極小値の差が最小となる $a$ の値を求めよ。

（東京大学　1998 年）

## 問題 42

$x$ についての 3 次方程式

$$2x^3 - 3(a + b)x^2 + 6abx - 2a^2 b = 0$$

が 3 つの相異なる実数解をもつとする。このとき点 $(a, b)$ の存在する範囲を求め、それを図示せよ。

（東北大学　1992 年）

## 問題 43

曲線 $y = x^2(x + 1)$ と直線 $y = k^2(x + 1)$ $(0 \le k \le 1)$ とで囲まれる部分の面積が最小となるように $k$ の値を定めよ。

（名古屋大学　1975 年）

## 問題 44

曲線 $y = x^3$ と曲線 $y = x^2 + x + c$ との両方に接する直線が 4 本あるような $c$ の範囲を求めよ。

（一橋大学　1994 年）

## 問題 45

$a$ を定数とし、$f(x) = x^3 - 3ax^2 + a$ とする。
$x \leqq 2$ の範囲で $f(x)$ の最大値が $105$ となるような $a$ を
すべて求めよ。

（一橋大学　2007 年）

## 問題 46

(1)　$x$ についての方程式

$x(x-3)(x+3) + 3k(x-1)(x+1) = 0 \ (k > 0)$ は、
3 実根をもつことを証明せよ。

(2)　上の方程式の正の根はただ 1 つで、1 と $1 + \dfrac{2}{k}$ と
の間にあることを証明せよ。

（京都大学　1967 年）

## 問題 47

曲線 $y = e^x$ に点 $(a, b)$ から引きうる接線の個数を求めよ。

（東京工業大学　1980 年）

## 問題 48

(1)　関数 $f(x) = \dfrac{\log x}{x} \ (x > 0)$ の増減を調べよ。

(2)　$e^\pi$ と $\pi^e$ の大小を比較せよ。

（筑波大学　2000 年）

# 第 7 章　整数 2

## 問題 49

$m$ が自然数とする。$2^{m}!$ が $2^{n}$ で割り切れる自然数 $n$ の最大値を $N(m)$ とおくとき、次の問いに答えよ。

(1)　省略

(2)　$N(m)$ を $m$ の式で表せ。

(3)　$N(m)$ が素数ならば、$m$ も素数であることを証明せよ。

（島根大学　2011 年）

## 問題 50

自然数 $x, y$ を用いて $p^2 = x^3 + y^3$ と表せるような素数 $p$ をすべて求めよ。また、このときの $x, y$ をすべて求めよ。

（千葉大学　2001 年）

## 問題 51

正の整数の下 2 桁とは、100 の位以上を無視した数をいう。たとえば 2000, 12345 の下 2 桁はそれぞれ 0, 45 である。$m$ が正の整数全体を動くとき、$5m^4$ の下 2 桁として現れる数をすべて求めよ。

（東京大学　2007 年）

## 問題 52

$x, y, z, n$ は自然数で、$x^2 = 7^{2n}(y^2 + 10z^2)$ が成り立っている。

(1) 平方数を 3 で割った余りは 0 か 1 であることを示せ。

(2) $yz$ は 3 の倍数であることを示せ。

(3) $y, z$ が共に素数のとき $x$ を $n$ を用いて表せ。

（千葉大学　2003 年）

## 問題 53

(1) $n$ が正の偶数のとき、$2^n - 1$ は 3 の倍数であることを示せ。

(2) $n$ を自然数とする。$2^n + 1$ と $2^n - 1$ は互いに素であることを示せ。

(3) $p, q$ を異なる素数とする。$2^{p-1} - 1 = pq^2$ を満たす $p, q$ の組をすべて求めよ。

（九州大学　2015 年）

## 問題 54

4 で割ると余りが 1 である自然数全体の集合を $A$ とする。すなわち、$A = \{4k + 1 \mid (k \text{ は } 0 \text{ 以上の整数})\}$ とする。次の問いに答えよ。

(1)　$x$ および $y$ が $A$ に属するならば、その積 $xy$ も $A$ に属することを証明せよ。

(2)　0 以上の偶数 $m$ に対して、$3^m$ は $A$ に属することを証明せよ。

(3)　$m, n$ を 0 以上の整数とする。$m + n$ が偶数ならば $3^m 7^n$ は $A$ に属し、$m + n$ が奇数ならば $3^m 7^n$ は $A$ に属さないことを証明せよ。

(4)　$m, n$ を 0 以上の整数とする。$3^{2m+1} 7^{2n+1}$ の正の約数のうち $A$ に属する数全体の和を $m$ と $n$ を用いて表せ。

（広島大学　2010 年）

## 問題 55

すべての正の整数 $n$ に対して $5^n + an + b$ が 16 の倍数となるような 16 以下の正の整数 $a, b$ を求めよ。

（一橋大学　1997 年）

## 問題 56

2つの整数の平方の和として表わされる数の全体を $M$ とよぶ。$M$ の中の任意の2数の積はやはり $M$ の中にはいっている。たとえば、$(1^2 + 4^2)(2^2 + 3^2) = 10^2 + 11^2$

(1)　上のことを一般に証明しなさい。

(2)　$(4^2 + 5^2)(3^2 + 7^2)$ を2つの整数の平方の和として表わしなさい。

（慶應義塾大学　1962 年）

## 問題 57

自然数 $n$ に対し、$f(n) = n^2(n^2 + 8)$ と定める。
次の問いに答えよ。

(1)　$f(4)$ の正の約数の個数を求めよ。

(2)　$f(n)$ は3の倍数であることを証明せよ。

(3)　$f(n)$ の相異なる素因数の個数が2個であり、かつ $f(n)$ の正の約数の個数が 10 個であるとする。$n$ をすべて求めよ。

（徳島大学　2019 年）

## 問題 58

正の整数の組 $(a, b)$ で、$a$ 以上 $b$ 以下の整数の総和が 500 となるものをすべて求めよ。ただし、$a < b$ とする。

（大阪大学　1999 年）

## 問題 59

$m^4 + 14m^2$ が $2m + 1$ の整数倍となるような整数 $m$ を
すべて求めよ。

（千葉大学　2013 年）

## 問題 60

$f(p, q, r) = p^3 - q^3 - 27r^3 - 9pqr$ について、次の問い
に答えよ。

(1)　$f(p, q, r)$ を因数分解せよ。

(2)　等式 $f(p, q, r) = 0$ と $p^2 - 10q - 30r = 11$ との
両方を満たす正の整数の組 $(p, q, r)$ をすべて求めよ。

（旭川医科大学　2015 年）

# 第8章 不等式・絶対値

## 問題61

方程式 $12x^3 - 21x^2 + 2x + 4 = 0$ ··· ① に対して、次の各問に答えよ。

(1) 方程式 ① は正の実数解を2個、負の実数解を1個もつことを証明せよ。

(2) 方程式 ① の正の実数解を $\alpha, \beta$ $(\alpha < \beta)$ とするとき、$|\alpha - 1|$ と $|\beta - 1|$ の大小を比較せよ。

(埼玉大学 1982年)

## 問題62

$a, b$ を実数とする。方程式 $x^2 + ax + b = |x|$ が相異なる4個の実数解をもつような点 $(a, b)$ の存在する領域を図示せよ。

(信州大学 2006年)

## 問題63

すべての正の実数 $x, y$ に対し $\sqrt{x} + \sqrt{y} \leqq k\sqrt{2x + y}$ が成り立つような実数 $k$ の最小値を求めよ。

(東京大学 1995年)

## 問題64

2 以上の自然数 $n$ に対して、不等式

$$\frac{1}{2^3} + \frac{1}{3^3} + \frac{1}{4^3} + \cdots\cdots + \frac{1}{n^3} < \frac{1}{4}$$ が成り立つこと

を示せ。

（大阪大学　1992 年）

## 問題65

次の問に答えよ。

(1)　次の等式が成り立つような整数 $p, q, r$ の例をあ
げよ。

$$\frac{1}{2 - \sqrt[3]{7}} = p + q\sqrt[3]{7} + r\sqrt[3]{49}$$

(2)　$\sqrt[3]{7}$ と $\sqrt[3]{9}$ ではどちらが 2 に近いか。

（埼玉大学　2004 年）

## 問題66

正の整数 $n$ の正の平方根 $\sqrt{n}$ は整数ではなく、それを 10
進法で表すと、小数第 1 位は 0 であり、第 2 位は 0 以外
の数であるとする。

(1)　このような $n$ の中で最小のものを求めよ。

(2)　このような $n$ を小さいものから順に並べたときに
10 番目にくるものを求めよ。

（名古屋大学　2019 年）

## 問題 67

$a, b$ を正の整数とする。このとき

(1)  $\sqrt{2}$ が $\dfrac{b}{a}$ と $\dfrac{2a+b}{a+b}$ との間にあることを示せ。

(2)  $\sqrt{2}$ は $\dfrac{b}{a}$ と $\dfrac{2a+b}{a+b}$ のどちらに近いか。

（名古屋市立大学　1966 年）

## 問題 68

$a_n = \displaystyle\sum_{k=1}^{n} \dfrac{1}{\sqrt{k}}$, $\quad b_n = \displaystyle\sum_{k=1}^{n} \dfrac{1}{\sqrt{2k+1}}$ とするとき、

$\displaystyle\lim_{n \to \infty} a_n$, $\displaystyle\lim_{n \to \infty} \dfrac{b_n}{a_n}$ を求めよ。

（東京大学　1990 年）

# 第9章 複素数

## 問題 69

方程式 $x^3 - x + k = 0 \ (k > 0)$ が絶対値 1 の虚根をもつとき、この方程式の 3 つの根を求めよ。

（東京工業大学　1972 年）

## 問題 70

次の（ア）の空欄に適する値を求めよ。

(1)　虚部が正の複素数 $z$ で $iz^2 + 2iz + \dfrac{1}{2} + i = 0$ をみたすものを $z = a + bi$（$a, b$ は実数, $b > 0$）の形で表わすと $z = $ (ア) となる。

（横浜市立大学　2000 年　(2) は省略）

## 問題 71

$z^3 - 2|z| + 1 = 0$ を満たすような複素数 $z$ で、実数でないものの個数を求めよ。ただし $z = x + iy$（$i = \sqrt{-1}, x, y$ は実数）とするとき、$|z| = \sqrt{x^2 + y^2}$ である。

（神戸大学　1968 年）

## 問題 72

方程式 $z^2 + i = 0$ を解け。ただし、$i$ は虚数単位とする。

（神戸大学　1971 年）

## 問題 73

(1)　方程式 $x^3 - x^2 - x + k = 0 \ (k > 1)$ の実根は 1 個であることを示せ。

(2)　上の方程式の 3 根の絶対値は、いずれも 1 より大きいことを示せ。

（横浜市立大学　1973 年）

## 問題 74

$zw = z^3 = w^4$ をみたす複素数の組 $(z, w)$ の個数を求めよ。

（神戸大学　1999 年）

## 問題 75

2 乗して $8 + 6i$ になる複素数を $z$ とするとき、次の式の値を求めよ。

$$z^3 - 16z - \frac{100}{z}$$

（広島大学　1966 年）

## 問題 76

$i$ を虚数単位とし $a = \cos\dfrac{\pi}{3} + i\sin\dfrac{\pi}{3}$ とおく。また $n$ はすべての自然数にわたって動くとする。このとき

(1)　$a^n$ は何個の異なる値をとりうるか。

(2)　$\dfrac{(1-a^n)(1-a^{2n})(1-a^{3n})(1-a^{4n})(1-a^{5n})}{(1-a)(1-a^2)(1-a^3)(1-a^4)(1-a^5)}$ の

値を求めよ。

（東京大学　1970 年）

# 第 10 章　数列・漸化式

## 問題 77

$n$ を自然数とする。漸化式

$$a_{n+2} - 5a_{n+1} + 6a_n - 6n = 0,\ a_1 = 1,\ a_2 = 1$$

で定められる数列 $\{a_n\}$ の一般項を求めよ。

（横浜市立大学　2016 年　(1), (2) は省略）

## 問題 78

数列 $\{a_n\}$ が

$$a_1 = 36,\ a_{n+1} = 2a_n + 2^{n+3}n - 17 \cdot 2^{n+1}$$
$$(n = 1,\ 2,\ 3,\ \cdots\cdots)$$

により定められているとする。

(1)　$b_n = \dfrac{a_n}{2^n}$ とおくとき $b_n$ と $b_{n+1}$ の満たす関係式を導き、$\{a_n\}$ の一般項を求めよ。

(2)　$a_n > a_{n+1}$ となるような $n$ の値の範囲および $a_n$ が最小となるような $n$ の値を求めよ。

(3)　$S_n = a_1 + a_2 + \cdots\cdots + a_n$ とおくとき $S_n$ が最小となるような $n$ の値をすべて求めよ。

（金沢大学　2003 年）

## 問題 79

$n$ は正の整数とする。$x^{n+1}$ を $x^2 - x - 1$ で割った余り
を $a_n x + b_n$ とおく。

(1)　数列 $a_n, b_n$ $n = 1, 2, 3, \cdots\cdots$ は

$$\begin{cases} a_{n+1} = a_n + b_n \\ b_{n+1} = a_n \end{cases}$$

を満たすことを示せ。

(2)　$n = 1, 2, 3, \cdots\cdots$ に対して、$a_n, b_n$ は共に正の
整数で、互いに素であることを証明せよ。

（東京大学　2002 年）


## 問題 80

数列 $\{a_n\}$ を

$$a_1 = 1, \quad a_{n+1} = 27^{n^2 - 3n - 9} a_n \quad (n = 1, 2, 3, \cdots)$$

で定める。このとき、次の問に答えよ。

(1)　数列 $\{a_n\}$ の一般項を求めよ。

(2)　$a_n$ の値が最小となるときの $n$ の値を求めよ。

（東京海洋大学　2013 年）

## 問題 81

数列 $\{a_n\}$ を $a_1 = 2$, $a_{n+1} = \dfrac{4a_n + 1}{2a_n + 3}$

$(n = 1, 2, 3, \cdots)$ で定める。

このとき、以下の問いに答えよ。

(1) 2 つの実数 $\alpha$ と $\beta$ に対して、$b_n = \dfrac{a_n + \beta}{a_n + \alpha}$

$(n = 1, 2, 3, \cdots)$ とおく。$\{b_n\}$ が等比数列となるような $\alpha$ と $\beta \, (\alpha > \beta)$ を 1 組求めよ。

(2) 数列 $\{a_n\}$ の一般項 $a_n$ を求めよ。

（東北大学　2008 年）

## 問題 82

$$\alpha = \sqrt[3]{7 + 5\sqrt{2}}, \ \beta = \sqrt[3]{7 - 5\sqrt{2}}$$

とおく。すべての自然数 $n$ に対して、$\alpha^n + \beta^n$ は自然数であることを示せ。

（一橋大学　2009 年）

## 問題 83

次の条件を満たす $n$ を $100$ で割った余りは $\boxed{\quad \text{ア} \quad}$ である。

$$n \leq (5 + 2\sqrt{5})^{2019} < n + 1$$

（早稲田大学　2019 年　一部問題の体裁を改変）

## 問題 84

無限級数

$$\frac{r}{1-r^2}+\frac{r^2}{1-r^4}+\frac{r^4}{1-r^8}+\cdots\cdots+\frac{r^{2^{n-1}}}{1-r^{2^n}}+\cdots\cdots$$

の和を求めよ。ただし、$|r|\neq 1$ とする。

（東京大学　1962 年　① 〜③ 、⑤ は省略）

## 問題 85

漸化式 $c_{n+1}=8c_n-7$ $(n=1,2,3,\cdots)$ を満たす数列 $c_1,c_2,c_3,\cdots$ を考える。数列 $c_1,c_2,c_3,\cdots$ に素数がただ 1 つだけ現れるような正の整数 $c_1$ を 2 つ求めよ。

（東京工業大学　特別入試　2009 年）

## 問題 86

$a=\dfrac{2^8}{3^4}$ として、数列 $b_k=\dfrac{(k+1)^{k+1}}{a^k k!}$

$(k=1,2,3,\cdots)$ を考える。

(1)　関数 $f(x)=(x+1)\log\left(1+\dfrac{1}{x}\right)$ は $x>0$ で減少することを示せ。

(2)　数列 $\{b_k\}$ の項の最大値 $M$ を既約分数で表し、$b_k=M$ となる $k$ をすべて求めよ。

（東京工業大学　2019 年）

# 第11章　三角関数

## 問題 87

(1)　$x = \sin 10°$ は 3 次方程式 $8x^3 - 6x + 1 = 0$ の根であることを証明せよ。

(2)　この 3 次方程式の 2 根を求めよ。

（九州大学　1975 年）

## 問題 88

$0 \leqq \theta < 90°$ とする。$x$ についての 4 次方程式
$$\{x^2 - 2(\cos\theta)x - \cos\theta + 1\}\{x^2 + 2(\tan\theta)x + 3\} = 0$$
は虚数解を少なくとも 1 つもつことを示せ。

（京都大学　2014 年）

## 問題 89

(1)　$\cos 5\theta = f(\cos\theta)$ を満たす多項式 $f(x)$ を求めよ。

(2)　$\cos\dfrac{\pi}{10}\cos\dfrac{3\pi}{10}\cos\dfrac{7\pi}{10}\cos\dfrac{9\pi}{10} = \dfrac{5}{16}$ を示せ。

（京都大学　1996 年）

## 問題 90

（1）　等式 $\displaystyle \lim_{x \to 0} \frac{\sin x}{x} = 1$ を証明せよ。

（名古屋市立大学　1968 年・弘前大学 2006 年　（2）以降省略）

（2）　三角関数の極限に関する公式 $\displaystyle \lim_{x \to 0} \frac{\sin x}{x} = 1$ を示すことにより、$\sin x$ の導関数が $\cos x$ であることを証明せよ。

（大阪大学　2013 年）

# 第12章　図形融合問題

## 問題 91

△ABC は、条件 ∠B = 2∠A，BC = 1 を満たす三角形のうちで面積が最大のものであるとする。このとき、cos∠B を求めよ。

（京都大学　2014 年）

## 問題 92

三角形 ABC において、∠B = 60°、B の対辺の長さ $b$ は整数、他の 2 辺の長さ $a, c$ はいずれも素数である。このとき、三角形 ABC は正三角形であることを示せ。

（京都大学　1990 年）

## 問題 93

$n$ を自然数とする。半径 $\dfrac{1}{n}$ の円を互いに重なり合わないように半径 1 の円に外接させる。このとき外接する円の最大個数を $a_n$ とする。$\displaystyle \lim_{n \to \infty} \dfrac{a_n}{n}$ を求めよ。

（東京工業大学　1982 年）

## 問題 94

2 つの円、$x^2 + (y-2)^2 = 9$ と $(x-4)^2 + (y+4)^2 = 1$ に外接し、直線 $x = 6$ に接する円を求めよ。ただし、2 つの円がただ 1 点を共有し、互いに外部にあるとき、外接するという。

（名古屋大学　2008 年）

# 第13章 グラフで考察

## 問題 95

$a > 0, b > 0$ とする。座標平面上の曲線
$$C: y = x^3 - 3ax^2 + b$$
が、以下の2条件を満たすとする。

条件1：$C$ は $x$ 軸に接する。

条件2：$x$ 軸と $C$ で囲まれた領域（境界は含まない）
に、$x$ 座標と $y$ 座標がともに整数である点
がちょうど1個ある。

$b$ を $a$ で表し、$a$ のとりうる値の範囲を求めよ。

（東京大学　2020 年）

## 問題 96

関数 $f(x) = \dfrac{a^x + a^{-x}}{a^x - a^{-x}}$ について次の問に答えよ。ただ
し、$a$ は定数であり、$a > 0$ かつ $a \neq 1$ とする。

(1)　関数 $f(x)$ のとり得る値の範囲を求めよ。

(2)　方程式 $f(x) - bx = 0$ の解が存在するための定数
$a, b$ の満たすべき条件を求めよ。

（名古屋大学　1994 年）

# 第14章　数学オリンピック予選問題

## 問題 97

$_{40}\mathrm{C}_{20}$ を 41 で割った余りを求めよ。

（日本数学オリンピック予選　2000 年）

## 問題 98

10! の正の約数 $d$ すべてについて $\dfrac{1}{d + \sqrt{10!}}$ を足し合わせたものを計算せよ。

（日本数学オリンピック予選　2014 年）

## 問題 99

$1111^{2018}$ を 11111 で割った余りを求めよ。

（日本数学オリンピック予選　2018 年）

## 問題 100

2001 個の自然数 $1, 2, 3, \cdots, 2001$ の中から何個かの数を一度に選ぶとき、選んだ数の総和が奇数であるような選び方は何通りあるか。

ただし、1 個も選ばないときはその総和は 0 であると約束する。また、2001 個すべてを選んでもよい。

（日本数学オリンピック予選　2001 年）

良問 100 解答編

# 第 1 章　整数 1

　世界でもっとも有名な直角三角形は、古代エジプトの時代から直角を測るために用いられた三辺が 3, 4, 5 となる直角三角形でしょう。(3, 4, 5) は $a^2 + b^2 = c^2$ ($a, b, c$ は自然数) で知られるピタゴラスの定理を満たす最小の自然数の組です。このようなピタゴラス数にはこれ以外にも、(5, 12, 13), (7, 24, 25), (8, 15, 17), (9, 40, 41), $\cdots$ などがあり、無限に存在します。

　次に、この $a^2 + b^2 = c^2$ の指数 2 を 3 以上の整数 $n$ にした場合、$a^n + b^n = c^n$ では、どうなるでしょうか？

　これを満たす自然数の組 $(a, b, c)$ は存在しないというものが、有名なフェルマーの最終定理です。これはワイルズ教授によって解決されるまでに 300 年以上を要しました。フェルマーの最終定理が多くの人に知られ、関心を集めるのは、問題の主張自体は極めてシンプルで、その問いが容易に理解できることにあるのではないでしょうか。

　実は、入試数学の整数問題においても同様なのです。設問自体は簡潔で、解法への着想を問われる出題が多くあることが特徴です。

　さて、前述のピタゴラス数を眺めているとある特徴に気づくのではないでしょうか？　それは $a, b$ のうち、少なくとも 1 つが 3 の倍数であり、また 4 の倍数だということです。さらに、$a, b, c$ のどれか 1 つは必ず 5 の倍数になって

います。

　では、このことを証明するにはどうしたらよいでしょうか。

　ここで威力を発揮するのが「合同式」とよばれるものです。ピタゴラス数の証明は、この節の最後に紹介しますが、まず、この合同式について解説します。

　合同式とは、ざっくりいうと割り算の「余り」のみに注目した等式のことです。例えば、7 と 13 は、どちらも 3 で割った余りが 1 になります。これを、合同式では、$7 \equiv 13 \,(\mathrm{mod}\ 3)$ と書きます。ここで「mod」は、「modulo（モジュロ）」を略した記号で「〜を法にして合同」という意味をもちます。また、法とは「割る数」を意味します。

　一般化すると、$a$ と $b$ を $n$ で割った余りが等しいとき、$a \equiv b \,(\mathrm{mod}\,n)$ と表し、これは $a$ と $b$ は $n$ を法にして合同という意味になります。

　合同式は、情報数学などでよく用いられ、とてもおもしろい性質をもちます。読者の年代によって高校生の頃に習わなかった方もいると思いますので、以下に、合同式の性質をまとめます。すでに知っているという方は読み飛ばしてかまいません。

## 合同式のよく使う性質

### 1. 合同式の和

　$a \equiv b \,(\mathrm{mod}\ n)$, $c \equiv d \,(\mathrm{mod}\ n)$ のとき、
$a + c \equiv b + d \,(\mathrm{mod}\ n)$ が成立します。

　例えば、mod 3 では $\begin{cases} 11 \equiv 8 \\ 7 \equiv 4 \end{cases}$ なので、各辺を足し算して $18 \equiv 12$ が成立します。

証明は簡単です。

$a \equiv b \pmod{n}$ というのは $a = pn + q,\ b = rn + q$ という意味です。

$q$ は 0 から $n-1$ の間にある整数です。

上の例では　　$11 \equiv 8 \pmod 3$　　$11 = 3 \times 3 + 2,$

$$8 = 3 \times 2 + 2$$

同様に $c \equiv d \pmod n$ は $c = sn + y,\ d = tn + y$ です。

$a + c = pn + q + sn + y = n(p+s) + q + y \equiv q + y \pmod n$

$b + d = rn + q + tn + y = n(r+t) + q + y \equiv q + y \pmod n$

## 2. 合同式の差

$a \equiv b \pmod n,\ c \equiv d \pmod n$ のとき、

$a - c \equiv b - d \pmod n$ が成立します。

証明は **1.** と同じです。

## 3. 合同式の積

$a \equiv b \pmod n,\ c \equiv d \pmod n$ のとき、

$ac \equiv bd \pmod n$ が成立します。

つまり、合同式は辺々をかけ算できます。これも証明は簡単です。

上述のように、

$a \equiv b \pmod n$ は $a = pn + q,\ b = rn + q$ という意味で、

$c \equiv d \pmod n$ は $c = sn + y,\ d = tn + y$ です。

$ac = (pn + q)(sn + y) = n(psn + py + qs) + qy$

$\quad \equiv qy \pmod n$

$bd = (rn + q)(tn + y) = n(rtn + qt + ry) + qy$

$\quad \equiv qy \pmod n$

## 4. 合同式の商

$ac \equiv bc \,(\mathrm{mod}\ p)$ で、$c$ と $p$ が互いに素なら、

$a \equiv b \,(\mathrm{mod}\ p)$ が成立します。

合同式の両辺を $c$ で割ってよいのは、$c$ と $p$ が互いに素である場合のみです。

合同式において、足し算、引き算、かけ算は普通の等式と同様に行っても問題ありませんが、割り算には $a$ と $n$ が互いに素という条件がつきます。合同式で割り算は危険だと思ってください。

例） $15 \equiv 9\,(\mathrm{mod}\ 6)$ を $3$ で割った、$5 \equiv 3\,(\mathrm{mod}\ 6)$ は成り立ちません（$3$ と $6$ は互いに素でない）。

$45 \equiv 33\,(\mathrm{mod}\ 4)$ を $3$ で割った、$15 \equiv 11\,(\mathrm{mod}\ 4)$ は成立します（$3$ と $4$ は互いに素）。

互いに素でない数で割ってはいけない理由は、以下のように説明できます。

$\mathrm{mod}\ pq$ で $ap \equiv bp$ とは、

$$\begin{cases} ap = mpq + px \\ bp = npq + px \end{cases}$$ ということで、この式を $p$ で割ると、

$$\begin{cases} a = mq + x \\ b = nq + x \end{cases}$$ となり、

ここで、$a \equiv b$ は $\mathrm{mod}\ q$ で成り立つため、$\mathrm{mod}\ pq$ で成り立つことを保証しません。

一方、$c$ と $p$ が互いに素であって、$\mathrm{mod}\ p$ で $ac \equiv bc$ ならば、

$$\begin{cases} ac = mcp + cx \\ bc = ncp + cx \end{cases}$$ ということで、この式を $c$ で割ると、

$$\begin{cases} a = mp + x \\ b = np + x \end{cases} \quad a \equiv b \,(\mathrm{mod}\ p) \text{ は成り立ちます。}$$

## 5. 合同式のべき乗

$a \equiv b \,(\mathrm{mod}\ n)$ なら $a^x \equiv b^x \,(\mathrm{mod}\ n)$（$x$ は正の整数）

まず、$a \equiv b \,(\mathrm{mod}\ n)$ は $a = pn + q$, $b = rn + q$ という意味です。

このとき、$(pn + q)^x$ を二項展開すると最後の $q^x$ 以外はすべて $n$ の倍数です。

同様に、$(rn + q)^x$ も最後の $q^x$ 以外はすべて $n$ の倍数となり、

以上より、$(pn + q)^x \equiv (rn + q)^x \equiv q^x \,(\mathrm{mod}\ n)$

それでは、先ほどの「$a^2 + b^2 = c^2$ を満たす自然数 $a, b, c$ のうち少なくとも 1 つは 5 の倍数である」ことを証明してみましょう。最初に「合同式」を使わずに証明してみます。

まず、「$a, b, c$ はすべて 5 の倍数でない」と仮定する。5 の倍数でない自然数は、$n$ を負ではない整数として、$5n + 1$, $5n + 2$, $5n + 3$, $5n + 4$ と表すことができる。また、それぞれの 2 乗は、

$$(5n + 1)^2 = 25n^2 + 10n + 1 = 5(5n^2 + 2n) + 1$$
$$(5n + 2)^2 = 25n^2 + 20n + 4 = 5(5n^2 + 4n) + 4$$
$$(5n + 3)^2 = 25n^2 + 30n + 9 = 5(5n^2 + 6n + 1) + 4$$
$$(5n + 4)^2 = 25n^2 + 40n + 16 = 5(5n^2 + 8n + 3) + 1$$

となり、右辺の 5 の積になっている（5 の倍数）部分を $5N$

（$N$ は負ではない整数）と表すと、この 4 つの式は、
$5N+1$（A タイプとする）、$5N+4$（B タイプとする）、という A, B の 2 種類に分類できることがわかる。つまり、$c^2$ は A か B のどちらかのタイプである。

　次に、左辺の $a^2+b^2$ を見ていくと、その組み合わせは、A＋A, A＋B, B＋B の 3 通りとなり、$L, M, N$ を負ではない整数とすれば、

$(5L+1)+(5M+1)=5(L+M)+2$

$(5L+1)+(5M+4)=5(L+M+1)$

$(5L+4)+(5M+4)=5(L+M+1)+3$

　一方、右辺の $c^2$ は $5N+1$ または $5N+4$ なので、この等式が成り立つことはない。これは「$a, b, c$ はすべて 5 の倍数でない」と仮定したことにより矛盾する。よって、$a, b, c$ のうち少なくとも 1 つは 5 の倍数である。


　次に、この証明を、合同式を使って行います。

　以下、5 の倍数を調べるので、合同式 mod5 を用います。
$3 \equiv -2 \pmod 5$（3 を 5 で割った余りは「$-2$」という意味）、
$4 \equiv -1 \pmod 5$（4 を 5 で割った余りは「$-1$」という意味）なので、
（5 の倍数でない自然数）$\equiv \pm 1, \pm 2$ について調べると、

$(\pm 1)^2 \equiv 1, \quad (\pm 2)^2 = 4 \equiv -1 \pmod 5$

　したがって、（5 の倍数でない自然数の平方）$\equiv \pm 1 \pmod 5$ となり、$(\pm 1)+(\pm 1) \equiv \pm 1 \pmod 5$ となる。

　これは $\pm$ をどう組み合わせても成り立つことはなく矛盾する。

　以上より、$a, b, c$ のうち少なくとも 1 つは 5 の倍数である。

　同様に 3, 4 の倍数であることも、この方法で証明することができます。

　合同式はこのように整数問題にアプローチするときに、問題をシンプルに表すことができるのです。

**問題 1**

（1） $n$ を自然数とするとき、$4^{2n-1} + 3^{n+1}$ は 13 の倍数
であることを示せ。

（信州大学　　2012 年　　（2）を省略）

合同式の入門編として、最初にこの問題を取り上げます。

まず、はじめに数学的帰納法を用いて証明してみましょう。

　　　$n = 1$ のとき　$4^{2n-1} + 3^{n+1} = 13$　は正しい。

　　　$n = k$ のとき　$4^{2k-1} + 3^{k+1} = 13K_k$　　（$K_k$ は整数）

が成り立つと仮定すると、

　　　$n = k + 1$ のとき

$$4^{2n-1} + 3^{n+1} = 4^{2(k+1)-1} + 3^{k+1+1}$$
$$= 4^{2k+1} + 3^{k+2} = 16 \cdot 4^{2k-1} + 3 \cdot 3^{k+1}$$

ここで、$4^{2k-1} + 3^{k+1} = 13K_k$ より

$4^{2k-1} = 13K_k - 3^{k+1}$ として上の式に代入する。

$$16 \cdot 4^{2k-1} + 3 \cdot 3^{k+1} = 16(13K_k - 3^{k+1}) + 3 \cdot 3^{k+1}$$
$$= 16 \cdot 13K_k - 16 \cdot 3^{k+1} + 3 \cdot 3^{k+1}$$
$$= 16 \cdot 13K_k - (16 - 3)3^{k+1} = 13(16K_k - 3^{k+1})$$
$$= 13K_{k+1} \quad (K_{k+1} = 16K_k - 3^{k+1} \text{ とおいた})$$

したがって $n = k + 1$ のときも成立するので、すべての
$n$ で、$4^{2n-1} + 3^{n+1}$ は 13 の倍数である。

　次に合同式を用いて証明します。

　はじめに、式の指数をそろえます。ここで、指数は少なく
なるようにそろえることが大切です。指数を増やしてしま
うと分数があらわれるため、整数問題にはむかないという特

徴があります。

$$4^{2n-1} = 4 \cdot 4^{2n-2} = 4 \cdot 4^{2(n-1)} = 4 \cdot 16^{n-1}$$

$$3^{n+1} = 3^2 \cdot 3^{n-1} = 9 \cdot 3^{n-1}$$

$$4^{2n-1} + 3^{n+1} = 4 \cdot 16^{n-1} + 9 \cdot 3^{n-1}$$

ここで、$16 \equiv 3 \,(\text{mod } 13)$：16 を 13 で割った余りは 3。

合同式の性質：$a \equiv b$ なら $a^x \equiv b^x$ と「合同式の和」を利用して、

$$4 \cdot 16^{n-1} + 9 \cdot 3^{n-1} \equiv 4 \cdot 3^{n-1} + 9 \cdot 3^{n-1}$$

$$= 13 \cdot 3^{n-1} \equiv 0 \,(\text{mod } 13)$$

*Point*

合同式を使うことでシンプルに解法へとたどりつけることがわかります。

---

問題2

$5^{2n-1} + 7^{2n-1} + (23)^{2n-1}$　がすべての正の整数 $n$ について 35 で割り切れることを証明せよ。

(弘前大学　2013 年)

---

この問題も合同式に慣れるための問題です。これも数学的帰納法で解くことができますが、ここでは合同式を使って解いてください。

まず、35 で割り切れるのであれば、5 の倍数であり、かつ 7 の倍数であることがわかります。したがって mod 5、mod 7 で検討し、それぞれで、(与式) $\equiv 0$ となれば証明できます。

mod 5 のとき、

$5 \equiv 0,\ 7 \equiv 2,\ 23 \equiv 3 \equiv -2$

$5^{2n-1} + 7^{2n-1} + (23)^{2n-1} \equiv 0 + 2^{2n-1} + (-2)^{2n-1}$

$2n - 1$ は奇数なので、$(-2)^{2n-1} = -2^{2n-1}$

$0 + 2^{2n-1} + (-2)^{2n-1} = 2^{2n-1} - 2^{2n-1} = 0$

よって、$5^{2n-1} + 7^{2n-1} + (23)^{2n-1} \equiv 0$

したがって与式は 5 の倍数となる。

次に mod 7 で検討する。

$5 \equiv -2,\quad 7 \equiv 0,\quad 23 \equiv 2$

$5^{2n-1} + 7^{2n-1} + 23^{2n-1} \equiv (-2)^{2n-1} + 0 + 2^{2n-1}$

同様に $2n - 1$ は奇数なので、$(-2)^{2n-1} = -2^{2n-1}$

$(-2)^{2n-1} + 0 + 2^{2n-1} = -2^{2n-1} + 2^{2n-1} = 0$

よって、$5^{2n-1} + 7^{2n-1} + (23)^{2n-1} \equiv 0$

したがって与式は 7 の倍数となる。

以上より、与式は 5 の倍数でありかつ 7 の倍数なので、35 の倍数である。


*Point*

合同式を用いることで、倍数の証明はとてもシンプルに解くことができます。合同式に慣れたところで、次の問題に取り組んでください。

---

## 問題3

　素数 $p, q$ を用いて $p^q + q^p$ と表される素数をすべて求めよ。

（京都大学　2016 年）

---

　さて、ここからだんだんと整数問題の難問へと進んでいきます。最初は素数を扱った整数問題からです。

　まず、$p, q$ がいずれも 2 でない場合 $p, q$ は素数なので奇数。

　したがって $p^q$ も $q^p$ も奇数である。

　その場合 $p^q + q^p$ は偶数であり、あきらかに 2 にもならないので素数になることはない。

　したがって $p, q$ のいずれかが 2 である（もちろん両方ともに 2 は不可）。

　式の対称性に注目すると、$q = 2$ としても一般性を失わないことがわかる。

　$p^2 + 2^p$ の $p$ に 3, 5, 7 を代入してみる。

　$p = 3$ のとき　$3^2 + 2^3 = 17$（素数）

　$p = 5$ のとき　$5^2 + 2^5 = 57 = 3 \times 19$

　$p = 7$ のとき　$7^2 + 2^7 = 177 = 3 \times 59$

となり、$p = 3$ 以外は 3 の倍数となることが予想できる。

ここで合同式を使うととてもシンプルになります。

　以降は、すべて mod 3 として合同式を利用します。

　3 以外の素数は当然 3 の倍数でないので、$p \equiv 1, 2$（$p$ を 3 で割った余りは 1 か 2）である。

合同式のべき乗の性質より、

$p^2 \equiv 1^2$ また、$p^2 \equiv 2^2 = 4 \equiv 1$ となりいずれも 1 となる。$p^2 \equiv 1$

次に、$2 \equiv -1$ なので $2^p \equiv (-1)^p$

ここで $p$ は奇数なので $(-1)^p = -1$

したがって、$p$ が 3 以外の素数の場合は、

$p^2 + 2^p \equiv 1 + (-1) = 0$ となり 3 の倍数なので素数になることはない。したがって $p^2 + 2^p$ が素数になりうるのは、$p = 3$ の場合のみで、これは実際に素数になる。

よって $(p, q) = (3, 2)$ である。

また、$p = 2$ として検討すると、同様にして $(p, q) = (2, 3)$ を得る。

結果、題意を満たす $(p, q)$ は、$(p, q) = (2, 3), (3, 2)$ である。

## Point

後世に残る名問の 1 つです。問題文のシンプルさや対称性の美しさを兼ね備えています。問題文では「すべて求めよ」と問われていますが、1 つを見つければ、もう 1 つはそれを入れ替えたものです。実は、この問題文の意味は、「それ以外のものがないことを証明せよ」と同じで、そこに気づくかがポイントです。

---

## 問題4

正の整数 $m, n$ によって与えられる 2 次方程式
$x^2 - mnx + m + n = 0$ のうち、根がともに整数となる
ようなものをすべて求めよ。

（東京医科歯科大学　1973 年）

---

「根」という言葉を見て、なんだっけ?　と思った方はいま
せんか。この根というのは、「解」と同じ意味です。以前は
「根」という言葉を使っていました。この問題文には、歴史
を感じます。

　対称性より $m \geqq n$ としても一般性は失われない。

　2 つの整数の根を $\alpha, \beta\ (\alpha \geqq \beta)$ とすると、根（解）と係
数の関係より、

$$\alpha + \beta = mn, \quad \alpha\beta = m + n$$

2 つの式の各辺を引き算すると、

$$\alpha + \beta - \alpha\beta = mn - m - n$$
$$-(\alpha - 1)(\beta - 1) + 1 = (m - 1)(n - 1) - 1$$
$$(m - 1)(n - 1) + (\alpha - 1)(\beta - 1) = 2$$

$m, n$ はいずれも正の整数なので $(m - 1)(n - 1) \geqq 0$

$$\therefore\ ((m - 1)(n - 1),\ (\alpha - 1)(\beta - 1))$$
$$= (1,1),(0,2),(2,0)$$

$(m - 1)(n - 1) = 1$ のとき $m = n = 2$

$$x^2 - 4x + 4 = 0$$

$(m - 1)(n - 1) = 0$ のとき $n = 1$,

$(\alpha, \beta) = (3,2),\ m = 5$

$$x^2 - 5x + 6 = 0$$

$(m-1)(n-1) = 2$ のとき $m = 3, n = 2$

$$x^2 - 6x + 5 = 0$$

*Point*

この問題も合同式で ⋯⋯ と思ったかもしれませんが、ここであえて合同式を使わない問題を入れました。どんなときに合同式を使うと便利なのか、その見極めにも慣れてください。

さて、この問題では、

$$\alpha + \beta = mn, \quad \alpha\beta = m + n$$

この式を見て $m, n$ はそんなに大きくはならないと感じる直感も大事です。

---

**問題 5**

$p$ を素数、$n$ を 2 以上の自然数とするとき、方程式 $x^n - p^n x - p^{n+1} = 0$ は整数解をもたないことを証明せよ。

(千葉大学　2009 年)

---

まず、$x^n - p^n x - p^{n+1} = 0$ が整数解 $\alpha$ をもつと仮定すると、$\alpha^n - p^n \alpha - p^{n+1} = 0$ となり、これを移項して整理すると、

$$\alpha^n = p^n(\alpha + p) \cdots ①$$

したがって、$\alpha$ は $p$ の倍数なので、$\alpha = pt$（$t$ は整数）と表せ、これを ① 式に代入すると、

$$p^n t^n = p^n(pt + p) = p^{n+1}(t+1)$$

この両辺を $p^n$ で割ると、$t^n = p(t+1) \cdots$ ②

よって、$t$ が $p$ の倍数であるので、$t = ps$（$s$ は整数）として ② 式に代入すると、

$$p^n s^n = p(ps + 1)$$

この両辺を $p$ で割ると、

$$p^{n-1} s^n = ps + 1$$

$n \geqq 2$  なので  $p^{n-1} \geqq p$ となり、

これを移項して整理すると、$ps(p^{n-2} s^{n-1} - 1) = 1$

この式を満たすには $p = 1$ であることが必要だが、$p$ が素数であるということに矛盾する。これは整数解をもつと仮定したことが誤りなので、$x^n - p^n x - p^{n+1} = 0$ は整数解をもたない。

*Point*

最高次数の係数が 1 で、整数係数の $x$ の $n$ 次方程式（$n \geqq 2$）が有理数解をもつならば、それは整数で定数項の約数であるという事実を使えば、$x^n - p^n x - p^{n+1} = 0$ が整数解をもつとすれば、解は $\pm 1, \pm p^a$（$a$ は自然数で、$a \leqq n+1$）という流れからもこの問題は証明できます。しかし、解答例のように整数解を $\alpha$ として矛盾を導くほうがシンプルに証明できます。

　まず、答えとなる素数がなんなのかを推測するために $n = 1$
を代入して計算してみます。

　　$a_1 = 19 + (-1)^0 \cdot 2^1 = 21$

　したがって候補となる素数は 3 か 7、もしくは両方です。

　次に、$n = 2$ を代入して素直に計算してもいいのですが、
$a_1 = 21$ であることから、mod 21 で計算してみるとより簡
潔にアプローチできます。

　　$19 \equiv -2 \pmod{21}$

　　$n = 2$ のとき、

　　$a_2 \equiv (-2)^2 + (-1)^1 \cdot 2^5 = 2^2 \cdot (1 - 2^3) = -4 \cdot 7 \equiv 2 \cdot 7$

　これは $a_2$ を 21 で割ったときの余りが $2 \cdot 7$ であることを
示すので、

　　$\therefore a_2 = 21N + 2 \cdot 7 = 7(3N + 2)$　（$N$ は $a_2$ を 21 で
　　割ったときの商：整数）

　したがって、$a_2$ は 7 の倍数ではあるが、3 の倍数でない
ことがわかり、$a_n$ をすべて割り切る素数の候補は 7 のみと
なる。

　このことから、以下、合同式をすべて mod 7 として考える。

　　$a_n = 19^n + (-1)^{n-1} \cdot 2^{4n-3}$

　　　　$\equiv (-2)^n + (-1)^{n-1} \cdot 2^{4n-3}$

　ここで指数をそろえると、

$$= -2 \cdot (-2)^{n-1} + (-1)^{n-1} \cdot 2 \cdot 2^{4n-4}$$
$$= -2 \cdot (-2)^{n-1} + (-1)^{n-1} \cdot 2 \cdot 2^{4(n-1)}$$

次に、$(-2)^{n-1}$ と $(-1)^{n-1}$ は、$n$ の偶奇によって符号が変わるので $n$ を偶数・奇数の場合に分けて検討します。

$n$ が偶数のとき、

$$-2 \cdot (-2)^{n-1} + (-1)^{n-1} \cdot 2 \cdot 2^{4(n-1)} = 2^n - 2 \cdot 16^{n-1}$$
$$\equiv 2^n - 2 \cdot 2^{n-1} \quad (16 \equiv 2 \text{ なので})$$
$$= 2^n - 2^n = 0$$

したがって $a_n$ は 7 の倍数である。

さらに、$n$ が奇数のとき、

$$-2 \cdot (-2)^{n-1} + (-1)^{n-1} \cdot 2 \cdot 2^{4(n-1)}$$
$$= -2^n + 2 \cdot 16^{n-1}$$
$$\equiv -2^n + 2^n = 0$$

したがって奇数の場合も $a_n$ は 7 の倍数なので、すべての自然数 $n$ において $a_n$ は 7 で割り切れる。

*Point*

手探りに任意の数を代入した結果から 7 のみが候補であることに気づくことが鍵になります。それを示した上で、7 はすべての自然数 $n$ で与式を割り切ることを論証していきます。失敗を恐れずに手掛かりを見つけ、さらに論理力を問う問題です。

$n^3 - 7n + 9$ が素数となるような整数 $n$ をすべて求めよ。

(京都大学　2018 年)

　素数が登場する整数問題にもう一問挑戦してみましょう。

　ためしに、与えられた $n$ の式に $n = \pm 1$ を代入してみる
と、それぞれ 3 と 15 になります。この時点で与式は整数を
代入した場合に 3 の倍数になることが予想できれば解法へ
とたどりつくことができます。

　まず、与えられた $n$ の式を変形すると、

$n^3 - 7n + 9 = n(n^2 - 7) + 9$

　先ほどの条件から、この式は 3 の倍数になりそうなので、
$\mathrm{mod}\ 3$ として調べてみる。

　　$n \equiv 0 \pmod 3$ の場合 （3 で割り切れる場合）

　　$n(n^2 - 7) + 9 \equiv 0(0 - 7) + 9 = 9 \equiv 0$

　　$n \equiv \pm 1 \pmod 3$ の場合（3 で割ると、1 か 2 余る場合）、

　　$n^2 \equiv 1$ なので $n(n^2 - 7) + 9$

　　　　$\equiv \pm 1(1 - 7) + 9 = \mp 6 + 9 \equiv 0$ （複号同順）

　したがってすべての整数で、与式は 3 の倍数となり、3 の
倍数で素数となるのは 3 のみであることから、

　　$n^3 - 7n + 9 = 3$　　$\Leftrightarrow$　　$n^3 - 7n + 6 = 0$

　これは $n = 1$ のとき成り立つので、

　　$(n - 1)(n^2 + n - 6) = 0$　と変形し、

　　因数分解すると $(n - 1)(n - 2)(n + 3) = 0$

　　$\therefore n = 1,\ 2,\ -3$

*Point*

　問題 3 に似ていますが、「すべて求めよ」という問いに答えが複数あるところがおもしろい出題です。また、最初のアプローチにおいて方針を立てることが重要です。最終的に、この与式は 1 つの素数にしかなりえないため、「それだけである」ことを証明するという点では問題 3、6 と同様です。

---

**問題 8**

　以下の問いに答えよ。
(1)　$3^n = k^3 + 1$ をみたす正の整数の組 $(k, n)$ をすべて求めよ。
(2)　$3^n = k^2 - 40$ をみたす正の整数の組 $(k, n)$ をすべて求めよ。

（千葉大学　2010 年）

---

(1)　まず、右辺を因数分解してみます。

　与式は、$3^n = (k+1)(k^2 - k + 1)$ となります。

　右辺の整数の積は、左辺より 3 の累乗になっているので、

$$k + 1 = 3^a \quad (k+1 \geq 2 \text{ より } a \text{ は正の整数})$$

とわかります。

　そこから、

$$k = 3^a - 1 \cdots ① \quad k^2 - k + 1 = 3^{n-a} \cdots ②$$

という 2 つの式が得られ、② に ① を代入すると、

$$(3^a - 1)^2 - (3^a - 1) + 1$$
$$= 3^{2a} - 2 \cdot 3^a + 1 - 3^a + 1 + 1$$
$$= 3^{2a} - 3 \cdot 3^a + 3 = 3(3^{2a-1} - 3^a + 1) = 3^{n-a}$$

ここで、$3^{2a-1} - 3^a + 1$ は、3 の倍数ではないので、

$3(3^{2a-1} - 3^a + 1)$ が 3 の累乗になるためには、

$3^{2a-1} - 3^a + 1 = 1$

$\therefore 3^{2a-1} - 3^a = 0 \Leftrightarrow 2a - 1 = a$

$\therefore a = 1$

$\therefore k = 2,\ n = 2$

(2) 与式を移項して $k^2 - 3^n = 40$

ここで、$n$ が偶数であれば因数分解できてうれしいです。そこで、右辺が 4 の倍数であることに注目して mod 4 で検討します。

mod 4 で $k^2 \equiv 0,\ 1$

（4 で割った余りは、0, $\pm1$, 2,

それぞれ 2 乗して 0, 1, 4 $\equiv 0$）

$k^2 - 3^n = 40$

3 $\equiv -1$ なので、合同式の性質から、

左辺 $\equiv 0 - (-1)^n$ または $1 - (-1)^n$

右辺 $\equiv 0$ なので、成り立つのは、$1 - (-1)^n = 0$ のときのみ。

したがって $n$ は偶数である。

$n = 2m$（$m$ は正の整数）とすると、

$k^2 - 3^{2m} = 40$

$k^2 - (3^m)^2 = (k + 3^m)(k - 3^m)$ と変形できるので、

$(k + 3^m)(k - 3^m) = 40 = 2^3 \cdot 5$

$2^3 \cdot 5 = ab\ (a > b)$ とすると、

$k + 3^m = a,\ k - 3^m$

$= b, 2k = a + b$ $(a, b, k$ は正の整数$)$

以上より、$a$ と $b$ の偶奇は一致しなければならず、両方奇数となることはないので両方偶数。

したがって、$(a, b)$ の組み合わせは $(20, 2)$, $(10, 4)$ となり、

$k + 3^m = 20$, $k - 3^m = 2$ より $k = 11$, $m = 2$

このとき $n = 4$

$k + 3^m = 10$, $k - 3^m = 4$ より $k = 7$, $m = 1$

このとき $n = 2$

以上より、$(k, n) = (11, 4)$, $(7, 2)$


*Point*

平方数と mod は相性がいいのです！　なぜなら余りの分類がおよそ半分になるからです。

例：mod 8 の余りは 0, ±1, ±2, ±3, 4 の 8 つありますが、2 乗すると 0, 1, 4 だけになります。

$(0^2 \equiv 0, (\pm 1)^2 \equiv 1, (\pm 2)^2 \equiv 4, (\pm 3)^2$
$= 9 \equiv 1, 4^2 = 16 \equiv 0)$

**問題 9**

$n$ を正の整数とする。実数 $x, y, z$ に対する方程式
$x^n + y^n + z^n = xyz \cdots\cdots$ ① を考える。

(1)  $n = 1$ のとき、① を満たす正の整数の組 $(x, y, z)$
で、$x \leqq y \leqq z$ となるものをすべて求めよ。

(2)  $n = 3$ のとき、① を満たす正の実数の組 $(x, y, z)$
は存在しないことを示せ。

（東京大学　2006 年）

(1)  まず、$x + y + z = xyz$ の両辺を $xyz\ (\neq 0)$ で割ると、

$$\frac{1}{yz} + \frac{1}{xz} + \frac{1}{xy} = 1$$

ここで、$x \leqq y \leqq z$ より

$$\frac{1}{yz} \leqq \frac{1}{xz} \leqq \frac{1}{xy} \leqq \frac{1}{x^2} \quad \text{といえる。}$$

ここから、$\dfrac{1}{yz} + \dfrac{1}{xz} + \dfrac{1}{xy} = 1 \leqq \dfrac{3}{x^2}$ となり、

$x^2 \leqq 3$

$\therefore x = 1$

$x + y + z = xyz$ に $x = 1$ を代入して整理すると、
$yz - y - z = 1$

$(y-1)(z-1) = 2$　$y \leqq z$ より $y - 1 = 1$ かつ $z - 1 = 2$

以上より $(x, y, z) = (1, 2, 3)$

(2)  $x^3 + y^3 + z^3 = xyz$ を見て、

$x^3 + y^3 + z^3 - 3xyz$

$\quad = (x + y + z)(x^2 + y^2 + z^2 - xy - yz - zx)$

という因数分解がすぐに思い浮かぶ人は、

$x^3 + y^3 + z^3 - 3xyz = -2xyz$ と変形して、

$(x + y + z)(x^2 + y^2 + z^2 - xy - yz - zx)$

$\quad = -2xyz$

左辺は、

$(x + y + z)(x^2 + y^2 + z^2 - xy - yz - zx)$

$\quad = (x + y + z) \cdot \dfrac{2x^2 + 2y^2 + 2z^2 - 2xy - 2yz - 2zx}{2}$

$(x + y + z) \cdot \dfrac{(x - y)^2 + (y - z)^2 + (z - x)^2}{2} \geqq 0$

$(x, y, z$ は正の整数) といえる。

一方、右辺は、$-2xyz < 0$ なので、

$(x + y + z)(x^2 + y^2 + z^2 - xy - yz - zx) = -2xyz$

という等式を満たす正の整数の組 $(x, y, z)$ は存在しない。


因数分解が思いつかなかった人ももちろん正解にたどりつけます。

まず、（1）と同様に両辺を $xyz$ で割り、

$\dfrac{x^2}{yz} + \dfrac{y^2}{xz} + \dfrac{z^2}{xy} = 1$

次に、$x \leqq y \leqq z$ より $z^2 \geqq xy$

よって、$\dfrac{z^2}{xy} \geqq 1,\ \dfrac{x^2}{yz} > 0,\ \dfrac{y^2}{xz} > 0$ から

$\dfrac{x^2}{yz} + \dfrac{y^2}{xz} + \dfrac{z^2}{xy}$

$> 1$ となり、

$$\frac{x^2}{yz} + \frac{y^2}{xz} + \frac{z^2}{xy} = 1$$ を満たす正の整数の組 $(x, y, z)$ は存在しない。

*Point*

（1）は左辺が 1 次、右辺は 3 次になっています。ここで、問題文を見たときにこの式の変数が、それほど大きくはならないのではないかと感じられるかが鍵になります。これは数学の基本的なセンスを問う出題なのです。

---

### 問題 10

（1），（2）省略。

（3）$a^2 + b^2 = 3c^2$ を満たす自然数 $a, b, c$ は存在しないことを証明せよ。

（九州大学　2014 年）

---

まず、平方数は mod 3 で 0 か 1 となります。これについてくわしく知りたい方は、問題 53 の（1）を見てください。

さて、この式を満たす自然数 $a, b, c$ が存在すると仮定したとき、与式の右辺は 3 の倍数なので、$a^2 + b^2 \equiv 0 \pmod{3}$

$\therefore a^2 \equiv 0 \pmod{3}$, $b^2 \equiv 0 \pmod{3}$

ここで、$a = 3m$, $b = 3n$（$m, n$ は自然数）とおくことができるので、これを与式に代入して、

$(3m)^2 + (3n)^2 = 3c^2$

$9m^2 + 9n^2 = 3c^2$　この両辺を 3 で割って、

$3m^2 + 3n^2 = c^2$

よって、$c$ は 3 の倍数である。

そこで $c = 3l$ ($l$ は自然数) として代入すると、

$3m^2 + 3n^2 = 9l^2$ 両辺を 3 で割ると

$m^2 + n^2 = 3l^2$

この式は初めの式と文字が違うだけで全く同じである。そこで同様の議論を繰り返すと、

$m = 3x$ ($x$ は自然数) とすることができ、

$m = \dfrac{a}{3}$, $x = \dfrac{m}{3} = \dfrac{a}{3^2}, \cdots$ と $a$ が永遠に 3 で割り切れてしまうが、もちろんそのような自然数は存在しない。

これは $a^2 + b^2 = 3c^2$ を満たす自然数 $a, b, c$ が存在すると仮定したことが誤りなので、$a^2 + b^2 = 3c^2$ を満たす自然数 $a, b, c$ は存在しない。

*Point*

この問題のポイントは、背理法の一種である「無限降下法」にあります。ある命題 A を満たす自然数 $N_1$ があると仮定すると、より小さい $N_2$ で A を満たすものが構成できます。これを繰り返すことで、$N_1 \to N_2 \to N_3 \to \cdots\cdots$ とより小さい $N_n$ を構成できますが、自然数には最小元 1 があるので矛盾します。よって命題 A を満たす自然数は存在しないことになります。こういった証明を無限降下法といいます。

## 問題 11

(1)　5 以上の素数は、ある自然数 $n$ を用いて $6n+1$ または $6n-1$ の形で表されることを示せ。

(2)　$N$ を自然数とする。$6N-1$ は、$6n-1$（$n$ は自然数）の形で表される素数を約数にもつことを示せ。

(3)　$6n-1$（$n$ は自然数）の形で表される素数は無限に多く存在することを示せ。

（千葉大学　2009 年）

(1)　自然数を 6 で割った余りで分類すると、$n$ を自然数として、$6n, 6n-1, 6n-2, 6n-3, 6n-4, 6n-5$ の 6 種類がある。

ここで、$6n$ は 6 の倍数、$6n-2$ と $6n-4$ は 2 の倍数、$6n-3$ は 3 の倍数。

したがって、5 以上の整数は、$n$ を自然数として、$6n, 6n\pm1, 6n+2, 6n+3, 6n+4$ のいずれかの形で表せる。したがって $6n\pm1$ の形以外は、すべて 2 か 3 の倍数であるので素数ではない。

よって、5 以上の素数は必ず $6n\pm1$ の形をしている。


(2)　$6N-1$ が $6n-1$ の形の素数を素因数にもたないと仮定すると、(1) より、5 以上の素数はすべて $6n\pm1$ の形で表すことができるため、ある自然数 $n_1, n_2, \cdots, n_m$ が存在し、

$$6N-1 = (6n_1+1)(6n_2+1)\cdots(6n_m+1)$$ と表すことができる。

ここで、右辺のカッコはすべて mod 6 で 1 なので、

　　(右辺) $\equiv 1^m \equiv 1 \pmod{6}$

ところが、(左辺) $\equiv -1 \equiv 5$ なので矛盾する。

　これは、$6N-1$ が $6n-1$ の形の素数を素因数にもたないと仮定したことが誤りなので、$6N-1$ は、$6n-1$ の形で表される素数を約数にもつ。


(3)　ここではユークリッドの時代から知られている「素数が無限に存在する」という命題の証明方法を援用します。

　素数が有限であり、最大の素数 $P$ が存在すると仮定する。2 から最大の素数 $P$ までをすべてかけた数を $Q$ とすると、

　　$Q+1 = (2 \cdot 3 \cdot 5 \cdot 7 \cdot 11 \cdot \cdots \cdot P) + 1$

　ここで、$Q+1$ は 2, 3, 5, 7, $\cdots$, $P$ のいずれで割っても 1 余る数なので、2 から $P$ までの素数の中に素因数をもたない。したがって $Q+1$ は素数であるか、または $P$ より大きい素因数をもつ合成数である。

　これは最大の素数が $P$ であるという仮定に矛盾する。

　よって素数は無限に存在する。

　この方法を利用して（3）を証明します。


　まず、$6n-1$ の形で表される素数が有限であると仮定する。さらに、その最大のものを $6m-1$ と仮定し、$6n-1$ で表すことのできる最初の素数である 5 から $6m-1$ までの、すべての $6n-1$ で表される素数の積を $X$ とすると、

　　$X = 5 \cdot 11 \cdot 17 \cdot 23 \cdot 29 \cdot 41 \cdot \cdots \cdot (6m-1)$

　ここで、$6X-1$ は、5 から $6m-1$ までの、すべての $6n-1$ で表される素数で割り切れない。必ず $-1$ 余るため。

したがって、$6X - 1$ が素数であるか合成数の場合でも $6m - 1$ より大きな素因数をもつ。(2) より、$6X - 1$ は $6n - 1$ 形の素数をもつがそれは $6m - 1$ 以下にはない。

すると、$6n - 1$ の形の素数が有限で最大のものが、$6m - 1$ と仮定したことに矛盾する。

よって、$6n - 1$ の形の素数は無限に存在する。

*Point*

「素数は無限にある」ということを証明するユークリッドの手法が登場しました。素数が無限に存在することを、たんなる知識ではなく、その裏側にある証明までを理解しているかと問う名出題です。

---

**問題 12**

$\alpha$ を 2 次方程式 $x^2 - 2x - 1 = 0$ の解とするとき、$(a + 5\alpha)(b + 5c\alpha) = 1$ をみたす整数の組 $(a, b, c)$ をすべて求めよ。ただし、必要ならば $\sqrt{2}$ が無理数であることは証明せずに用いてよい。

（大阪大学　2009 年）

---

最後の但し書きが最大のヒントになっています。

これは、$\alpha A + B = 1$（$A, B$ は有理数）、という形に式変形して、$A = 0, B = 1$ を満たすものを探せばよいという出題者の意図に気づけば解法を見つけることができます。

ちなみに、ここでは $\sqrt{2}$ が無理数であることの証明は不要となっていますが、「素因数分解の一意性（素因数分解は 1

通りにしかできない）」を認めるならば、証明はすぐ終わります。

　まず、$\sqrt{2}$ を有理数と仮定すると、　$\sqrt{2} = \dfrac{q}{p}$　（$p, q$ は正の整数、ただし互いに素である必要はない）

　両辺を 2 乗して変形すると、　$2p^2 = q^2$

　両辺の素因数 2 の個数は左辺が奇数で右辺は偶数である。これは矛盾する。

　したがって $\sqrt{2}$ を有理数と仮定したことが誤りなので、$\sqrt{2}$ は無理数である。


　さて、まず与式の $x^2 - 2x - 1 = 0$ を解くと、

　　$x = 1 \pm \sqrt{2}$

　よって $\alpha$ は無理数とわかります。次に、

　　$(a + 5\alpha)(b + 5c\alpha)$

　　　$= ab + 5ac\alpha + 5b\alpha + 25c\alpha^2 = 1 \cdots$ ①

　ここで、$\alpha$ は $x^2 - 2x - 1 = 0$ の解なので、

　　$\alpha^2 - 2\alpha - 1 = 0 \Leftrightarrow \alpha^2 = 2\alpha + 1$

　これを ① に代入して整理すると、

　　$5\alpha(ac + b + 10c) + ab + 25c - 1 = 0$ となり、

　　$ac + b + 10c = 0 \cdots$ ②

　　$ab + 25c - 1 = 0 \cdots$ ③

　$a = 0$ のとき ③ より $25c = 1$ となりこれを満たす整数 $c$ はない。

　よって $a \neq 0$

　② の両辺に $a$ をかけて ③ と連立して整理すると、

　　$a^2 c + 10ac - 25c = -1$

$c\,(a^2 + 10a - 25) = -1$

$a, c$ は整数なので、$c = \pm 1$

$c = 1$ のとき $a^2 + 10a - 25 = -1$

$(a + 12)(a - 2) = 0$ から $a = 2,\ -12$

$c = -1$ のとき、$a^2 + 10a - 25 = 1$

これを満たす整数 $a$ はない。

以上より

$(a, c) = (2, 1)$ のとき ② に代入して、

$(a, b, c) = (2,\ -12,\ 1)$

$(a, c) = (-12, 1)$ のとき ② に代入して、

$(a, b, c) = (-12,\ 2,\ 1)$

したがって求める整数の組 $(a, b, c)$ は、

$(a, b, c) = (2,\ -12,\ 1),\ (-12,\ 2,\ 1)$ である。


*Point*

この問題においては、$\alpha = 1 \pm \sqrt{2}$ なので $\alpha^2$ も無理数ですが、一般的には、$\alpha$ が無理数だからといって $\alpha^2$ も無理数とはかぎりません。そのため、$\alpha^2 = 2\alpha + 1$ であることを利用して次数下げをすることに気づけるかどうかが重要になります。

# 第2章　整式の剰余

四則演算の中で割り算だけが、答えに「余り」が登場します。

一般化して表現すれば $a$ を整数、$N$ を自然数として、$a \div N = c$ 余り $d$、これは $a = Nc + d$ となり、ここで余り $d$ は $0 \leqq d \leqq N - 1$ の整数とします。

整式 $F(x)$ を整式 $G(x)$ で割ったときの商を $f(x)$、余りを $g(x)$ とすると、$F(x) \div G(x) = f(x)$ 余り $g(x)$ という割り算は整数の割り算のときと同様に、$F(x) = G(x)f(x) + g(x)$ となりますが、余りの定義が整数の割り算のときとは異なります。

整式の割り算における余りは、割る式 $G(x)$ よりも「次数が低い整式」です。整数の割り算ではないので、余りは負の定数項（負の整数とは限らない）でもかまいません。

$$(2x^2 + 2x + 1) \div (x^2 + x + 1) = 2 \text{ 余り } -1 \quad \cdots \text{ ①}$$

$$(2x^2 + 2x + 1) \div (x^2 + x + 1) = 1 \text{ 余り } (x^2 + x) \cdots \text{②}$$

① も ② も、$F(x) \div G(x) = f(x)$ 余り $g(x) \Leftrightarrow F(x) = G(x)f(x) + g(x)$ という関係は満たしていますが、② は余りである $g(x)$ の次数が割る式 $G(x)$ の次数と同じなので誤りです。

また、整式の剰余における $F(x) = G(x)f(x) + g(x)$ という関係は、$x$ についての「恒等式」であるということも重要です。恒等式とは、$2(x + 1) = 2x + 2$ のように、変数

（この場合は $x$）がどんな値を取ったとしても成り立つ式のことです。

　$x^2 - x - 2 = 0$, $(x-2)(x+1) = 0$ はいずれも $x$ についての「方程式」で、$x = 2$, $-1$ のみが等式を満たしますが、$x^2 - x - 2 = (x-2)(x+1)$ は「恒等式」で、$x = 2$, $-1$ ではもちろん、それだけでなく他のどんな数、虚数でも成り立つ式なのです。

　つまり、$x^2 - x - 2 = (x-2)(x+1)$ という式は、展開して移項して整理すれば $0 = 0$ となる式なのです。整式の剰余に関する問題を解くときには、$F(x) = G(x)f(x) + g(x)$ が恒等式であるということに着目することが大切です。

## 問題 13

$n$ を正の整数とする。

整数 $x^n$ を $x^5 - 1$ で割った余りを求めよ。

（大分大学　2004 年）

整式の問題としては、王道の出題といえる問題です。

$x^5 - 1$ という 5 次式で割っているので、余りは高々 4 次式になります。そのため、余りを $ax^4 + bx^3 + cx^2 + dx + e$（$a, b, c, d$ は実数）とおいて考えたくなりますが、これは未知数が 5 個もあり大変なので工夫しましょう。

$$x^5 - 1 = x^5 - 1 \quad \Leftrightarrow \quad x^5 = (x^5 - 1) + 1$$

と変形し、さらに、

$$n = 5m + a \quad (m \text{ は負ではない整数}、a = 0, 1, 2, 3, 4)$$

とする。

$$x^n = x^{5m+a} = x^{5m}x^a = (x^5)^m x^a$$
$$= \{(x^5 - 1) + 1\}^m x^a$$

ここで、$\{(x^5 - 1) + 1\}^m$ を二項展開すると、

$$(x^5 - 1)^m + {}_m\mathrm{C}_1(x^5 - 1)^{m-1} + \cdots + {}_m\mathrm{C}_{m-1}(x^5 - 1) + 1^m$$

最後の 1 以外はすべて $(x^5 - 1)$ の倍数である。

$$x^n = x^{5m+a} = \{(x^5 - 1) + 1\}^m x^a$$
$$= \{(x^5 - 1)^m + {}_m\mathrm{C}_1(x^5 - 1)^{m-1} + \cdots$$
$$+ {}_m\mathrm{C}_{m-1}(x^5 - 1) + 1\}x^a$$

$m = 0$ のとき　$x^n = 0 \cdot (x^5 - 1) + x^a$

$m$ が正の整数のとき

$$x^n = \{(x^5 - 1)^{m-1} + {}_m\mathrm{C}_1(x^5 - 1)^{m-2} +$$
$$\cdots + {}_m\mathrm{C}_{m-1}\}(x^5 - 1) + x^a$$

以上より、

$x^n$ を $x^5 - 1$ で割った余りは、

$n = 5m + a$ （$m$ は負ではない整数、$a = 0, 1, 2, 3, 4$）
とすると、$x^a$

*Point*

　導入部に整式の割り算における余りの条件を使いたくなりますが、5 元連立方程式は解きたくないという気持ちが大事です。

---

**問題 14**

　多項式 $(x^{100} + 1)^{100} + (x^2 + 1)^{100} + 1$ は
多項式 $x^2 + x + 1$ で割り切れるか。

（京都大学　2003 年）

---

　まず、この 2 つの式をよく見ると、ある形に気づきます。

　　$x^3 - 1 = (x - 1)(x^2 + x + 1)$

　このとき、$x^3 = 1$ を満たす $x$ は、$x^3 - 1 = (x - 1)(x^2 + x + 1) = 0$ より、$x = 1$ と 2 次方程式 $x^2 + x + 1 = 0$ の 2 つの解（虚数解）となる。$x^2 + x + 1 = 0$ の 2 つの解（虚数解）の 1 つを $\alpha$ とすると、

　　$\alpha^3 = 1, \ \alpha^2 + \alpha + 1 = 0$

　$(x^{100} + 1)^{100} + (x^2 + 1)^{100} + 1$ を $x^2 + x + 1$ で割ったときの商を $f(x)$ とし、余りを $ax + b$ とすると、2 次式で割っているので余りは、高々 1 次式になり、以下の形で表すことができる。

$$(x^{100} + 1)^{100} + (x^2 + 1)^{100} + 1$$
$$= f(x)(x^2 + x + 1) + ax + b \quad (a, b は実数)$$

ここで $x$ に $\alpha$ を代入すると、

$$(\alpha^{100} + 1)^{100} + (\alpha^2 + 1)^{100} + 1$$
$$= f(\alpha)(\alpha^2 + \alpha + 1) + a\alpha + b$$
$$\alpha^2 + \alpha + 1 = 0 \Leftrightarrow \alpha^2 = -\alpha - 1,\ \alpha^3 = 1 \quad より$$
$$\{(\alpha^3)^{33}\alpha + 1\}^{100} + (-\alpha)^{100} + 1 = a\alpha + b$$
$$\Leftrightarrow (\alpha + 1)^{100} + (\alpha^3)^{33}\alpha + 1 = a\alpha + b$$
$$\Leftrightarrow (-\alpha^2)^{100} + \alpha + 1 = a\alpha + b$$
$$\Leftrightarrow (\alpha^3)^{66}\alpha^2 + \alpha + 1 = a\alpha + b$$
$$\Leftrightarrow \alpha^2 + \alpha + 1 = a\alpha + b$$
$$\Leftrightarrow 0 = a\alpha + b$$
$$\alpha = \frac{-1 \pm \sqrt{3}i}{2}$$

$\alpha$ は虚数なので、$a\alpha + b = 0$ が成り立つためには、$a = b = 0$ でなければならない。

したがって余りは $0$ なので、

$(x^{100} + 1)^{100} + (x^2 + 1)^{100} + 1$ は $x^2 + x + 1$ で割り切れる。

*Point*

$x^2 + x + 1 = 0$ を満たす $x$ は $1$ の $3$ 乗根のうち、実数でない $2$ つであることを利用しています。$x^{n-1} + x^{n-2} + \cdots + x^2 + x + 1$ という形を見たときに、$x^n - 1 = (x - 1)(x^{n-1} + x^{n-2} + \cdots + x^2 + x + 1)$ という展開を思いつくセンスが要求される名問です。

　整式 $P(x)$ を $(x+1)^2$, $(x-1)^2$ のそれぞれで割った商を $Q(x)$, $R(x)$ とすると、

$\qquad P(x) = Q(x)(x+1)^2 + 9 \cdots$ ①

$\qquad P(x) = R(x)(x-1)^2 + 1 \cdots$ ②　　　　と表せる。

　次に、$(x+1)^2(x-1)^2$ は 4 次式で、余りは高々 3 次式なので、

　余りを $ax^3 + bx^2 + cx + d$（$a$, $b$, $c$, $d$ は実数）とおき、商を $S(x)$ とすると、

$P(x) = S(x)(x+1)^2(x-1)^2 + ax^3 + bx^2 + cx + d \cdots$ ③

　ここで、① ② ③ に $x = \pm 1$ を代入しても、未知数が 4 つで式が 2 つしかできないので解が定まらない。

　そこで、① ② ③ の両辺を微分すると、

$\qquad P'(x) = Q'(x)(x+1)^2 + Q(x)2(x+1) \cdots$ ④

$\qquad P'(x) = R'(x)(x-1)^2 + R(x)2(x-1) \cdots$ ⑤

$\qquad P'(x) = S'(x)(x+1)^2(x-1)^2 + S(x)2(x+1)(x-1)^2$

$\qquad\qquad + S(x)(x+1)^2 2(x-1) + 3ax^2 + 2bx + c \cdots$ ⑥

　① から ⑥ に、それぞれ $x = \pm 1$ を代入すると、

$$\begin{cases} P(-1) = -a + b - c + d = 9 \\ P(1) = a + b + c + d = 1 \\ P'(-1) = 3a - 2b + c = 0 \\ P'(1) = 3a + 2b + c = 0 \end{cases}$$

これを解くと $a = 2$, $b = 0$, $c = -6$, $d = 5$

∴ 余りは $2x^3 - 6x + 5$

*Point*

　未知数に対して条件式が足りないという問題に行きあたります。整数問題なら整数という条件から絞り込んでいくことができますが、ここでは微分を利用して条件式を増やしています。

# 第3章　記数法・$N$進法

　人類が数を数えるとき、多くの場合、10進法を使っています。それは人間の指が10本だからだと言われています。もしかしたら、ウルトラマンに登場したバルタン星人は、4進法を使っているのかもしれません（バルタン星人の指？の数は4本です）。

　バルタン星人にとっては、「4進法」とは人類の思い上がった表現で、「我らの記数法こそが真の10進法で、そもそも4などという数字は、我が星にはない」と言うかもしれません！

　コンピュータプログラマーにとっては当たり前である、1, 2, 3, 4, 5, 6, 7, 8, 9, A, B, C, D, E, F, 10, 11, 12, $\cdots$, FE, FF, 100, 101, $\cdots$ という数の並びも、普通の人が見れば「9の次のAって何？　何でFの後が10なの？」と思うのではないでしょうか。

　同じように、バルタン星人から見れば「3の次の4って何だ？　3の次は10だろ！」と思うはずです。

　記数法（$N$進法）とは、ようするに$N$個集まったらそれを10と表し、さらに$N$個の集まりが$N$個集まったら100と表すということを意味します。

　これを一般化して表すと、

$$\cdots, N^3, N^2, N^1, N^0 (=1), N^{-1}\left(= \frac{1}{N}\right), N^{-2}, N^{-3}, \cdots$$

となります。

　人類にとっては $N = 10$ が当たり前でも、バルタン星人にとっては $N = 4$、コンピュータプログラマーにとっては $N = 16$ です。

　ただし、バルタン星人もコンピュータプログラマーも人類も、みんな「位取り」は、

$$\cdots 10^3, 10^2, 10^1, 10^0 (= 1), 10^{-1} \left( = \frac{1}{10} \right), 10^{-2}, 10^{-3} \cdots$$

と表しています。

問題 16

ある正の数 $N$ を 5 進法で表わすと、整数部分が 2 けたの循環小数 $xy.\dot{z}$ となる。また、$N-1$ を 7 進法で表わすと、整数部分が 2 けたの循環小数 $zy.\dot{x}$ となる。このとき、$x, y, z$ の値を求めよ。

（金沢大学　1969 年）

まず、5 進法で表しているので、$x, y, z$ は、

$1 \leqq x \leqq 4,\ 0 \leqq y \leqq 4,\ 1 \leqq z \leqq 4$ である整数。

$$N = 5x + y + \left( \frac{z}{5} + \frac{z}{5^2} + \frac{z}{5^3} + \cdots \right)$$

$$= 5x + y + \frac{z}{5} \left( 1 + \frac{1}{5} + \frac{1}{5^2} + \cdots \right)$$

$$= 5x + y + \frac{z}{5} \cdot \frac{1}{1 - \dfrac{1}{5}}$$

$$= 5x + y + \frac{z}{5} \cdot \frac{5}{4}$$

となり、

$$= 5x + y + \frac{z}{4} \cdots ①$$

同様に、$N - 1 = 7z + y + \left( \dfrac{x}{7} + \dfrac{x}{7^2} + \dfrac{x}{7^3} + \cdots \right)$

$$= 7z + y + \frac{1}{6}x \cdots ②$$

（① － ②）× 12 より、$58x = 3(27z + 4) \cdots ③$

3 と 58 は互いに素なので、$x$ は 3 の倍数である。$1 \leqq x \leqq 4$ より $x = 3$

③ に代入して $z = 2$。$y$ は特定できないので、
$y = 0, 1, 2, 3, 4$
  よって、$(x, y, z) = (3, 0, 2), (3, 1, 2), (3, 2, 2),$
$$(3, 3, 2), (3, 4, 2)$$

*Point*

答えの $y$ が特定できない！　という問題です。特定できないと言い切れる数学力を試したかった問題なのかもしれませんが意外な答えに驚きます。

---

### 問題 17

　7 進法で表わすと 3 けたとなる正の整数がある。これを 11 進法で表わすと、やはり 3 けたで、数字の順序がもととちょうど反対となる。このような整数を 10 進法で表わせ。

（神戸大学　1968 年）

---

　求める整数を $N$ とし、これを 7 進法で表したときの各位の数字を上から順に $a, b, c$ とすると、
$$N = 7^2 a + 7b + c \cdots ①$$
　同様に、11 進法で表すと数字の順が逆になるから、
$$N = 11^2 c + 11b + a \cdots ②$$
　ただし、$a, b, c$ は $1 \leqq a \leqq 6, 0 \leqq b \leqq 6, 1 \leqq c \leqq 6$ となる整数である。
　① と ② より、$N$ を消去し、$b$ について整理すると、
$$b = 6(2a - 5c)$$

ゆえに、$b$ は 6 の倍数である。$0 \leqq b \leqq 6$ なので、

$b = 0$ または $b = 6$

i)　$b = 6$ のとき $5c = 2a - 1 \cdots$ ③

すなわち、$2a - 1$ は 5 の倍数である。

ここで、$1 \leqq a \leqq 6$ だから $1 \leqq 2a - 1 \leqq 11$

この範囲内にある 5 の倍数は、

$2a - 1 = 5$ または $2a - 1 = 10$

$a$ は整数なので、$a = 3$

これを ③ に代入し、$c = 1$

以上より、$(a,\ b,\ c) = (3,\ 6,\ 1)$

$N = 7^2 \cdot 3 + 7 \cdot 6 + 1 = 190$

ii)　$b = 0$ のとき $2a = 5c \cdots$ ④

すなわち、$a$ は 5 の倍数である。

$1 \leqq a \leqq 6$ より $a = 5$

これを ④ に代入して、$c = 2$

以上より、$(a,\ b,\ c) = (5,\ 0,\ 2)$

$N = 7^2 \cdot 5 + 2 = 247$

i) または ii) より、求める整数を 10 進法で表わすと 190 または 247 となる。


*Point*

問題文の条件がとても楽しいです。$N$ 進法をきちんと理解していれば、未知数を絞り込んでいくことができる出題です。

$2^{12}$, $1331$ が $n$ 進法で表されているので、

$\quad 2^{n+2} = n^3 + 3n^2 + 3n + 1 = (n+1)^3$

$\quad (n+1)^3$ が 2 のべき乗なので、ある自然数 $k$ が存在し、

$\quad n + 1 = 2^k \iff n = 2^k - 1$ と表せる。

$\quad \therefore 2^{2^k+1} = 2^{3k}$

$\quad \therefore 2^k + 1 = 3k \cdots$ ①

ここで、$k = 1$ のとき $n = 1$ （不適）、

$k = 2$ のとき ① は成り立たない。

$k = 3$ で ① は成り立つ。

以下、$2^k > 3k - 1 \ (k \geqq 4) \cdots$ ② を証明する。

$k = 4$ のとき $2^4 + 1 > 3 \times 4$ より ② が成り立つ。

$k = m \ (\geqq 4)$ で ② が成り立つとすると、

$\quad 2^m > 3m - 1$ この両辺に 2 をかけて、

$\quad 2^{m+1} > 6m - 2$

$\qquad = 3m + 2 + (3m - 4) > 3(m+1) - 1$

よって、$k = m + 1$ でも ② が成り立つので、

$\quad 2^k > 3k - 1 \ (k \geqq 4)$

以上より、$k = 3$　$\therefore n = 2^3 - 1 = 7$

*Point*

$2^k + 1 = 3k$ を満たす自然数 $k$ が 1, 3 であることは、計算すればすぐにわかります。しかし、それしかないことをきちんと示しておく必要があります。

# 第4章　場合の数・確率

　明日の降水確率は？　宝くじは連番とバラ売りのもので当たる確率は違う？

　この「場合の数・確率」は、私たちが日常の中でもっとも意識することの多い数学の分野なのかもしれません。また、多くの数学者を悩ませた「モンティ・ホール問題」で知られるように、私たちの感覚的な印象を裏切るユニークな分野でもあります。

　解答にあたっては、緻密な思考力を要求されますので、まず問題文で聞かれている条件をきちんと理解し、それを状況によって分類（場合分け）していくことが大切です。

　もしかしたら数学力と同時に国語力も必要になる問題だともいえるのかもしません。

　ちなみに、宝くじは連番で買っても、バラ売りで買っても、確率は同じになるそうです！

## 問題 19

(1)　1000 から 9999 までの 4 桁の自然数のうち、1000 や 1212 のようにちょうど 2 種類の数字から成り立っているものの個数を求めよ。

(2)　$n$ 桁の自然数のうち、ちょうど 2 種類の数字から成り立っているものの個数を求めよ。

(北海道大学　2002 年)

（1）　まず 0 を除いて考えると、2 種類の数字でできている 4 桁の数は、ある数字が 2 個ずつ存在するか、3 個 + 1 個の形のいずれかだといえます。そこで、あらわれる数字を $a, b, 0$ の 3 種類で場合分けします（$a, b$ はともに 0 でなく、$a \neq b$）。

2 個ずつの場合。

1 から 9 までの 9 個の数字から 2 個選ぶ場合の数は、

$$_9\mathrm{C}_2 = \frac{9 \times 8}{2 \times 1}$$

さらに、$aabb$ を並べ替える場合の数が、

$$_4\mathrm{C}_2 = \frac{4 \times 3}{2 \times 1} \text{ なので、}$$

$$\frac{9 \times 8}{2 \times 1} \times \frac{4 \times 3}{2 \times 1} = 216 \text{ 通り}$$

3 個 + 1 個の場合。

$aaab$ と個数が違うので数の選び方が $_9\mathrm{P}_2 = 9 \times 8$、さらに並べ方は $b$ がどの桁にあるかなので 4 通り存在し、$9 \times 8 \times 4 = 288$ 通り。

次に 0 を選ぶ場合。

　0 が 3 個の場合、先頭は 0 ではないので $a000$ の 9 通り。

　0 が 2 個の場合、先頭は 0 ではないので $a$ を固定して下 3 桁の「$00a$」の並べ替えなので 3 通り。それが 1 から 9 まであるので $3 \times 9 = 27$ 通り。

　0 以外の数字 3 個と 0 が 1 個の場合、下 3 桁は $aa0$ の並べ替えなので 3 通りから、$3 \times 9 = 27$ 通り。

　以上より $216 + 288 + 9 + 27 + 27 = 567$ 通り。


(2)　まず、(1) と同様に、0 を選ばない場合について見ていきましょう。このとき 2 個の数字を各桁に振り分けながら、すべての桁が同じ数字になってしまう場合を除けばよいことがわかります。したがって、1 組の 2 個の数字につきできる $n$ 桁の整数は、$(2^n - 2)$ 通り（引く 2 はすべての桁が同じ数字になる場合）と表せます。

　これが $\dfrac{9 \times 8}{2 \times 1}$ 通りあるので、$36(2^n - 2)$ 通り。

　次に、0 を選ぶ場合は、最高位の数字は 0 でないので、選ばれた数字の 1 通りとなり、次の位からは 0 と選ばれた数字のどちらでもいいので、$2^{n-1}$ 通りで、すべてが同じ数字になってしまう 1 通りを除けばいいことがわかります。

　したがって、$9(2^{n-1} - 1)$ 通りとなります。

$$36(2^n - 2) + 9(2^{n-1} - 1)$$
$$= 72(2^{n-1} - 1) + 9(2^{n-1} - 1)$$
$$= 81(2^{n-1} - 1) \ 通り$$


*Point*

(2) のように一般的な $n$ の場合を問われたときでも、まず

取りかかりとして少ない数で実験してみることが重要です。この問題では（1）がその実験にもなっています。腕試しに、（2）から挑戦してみてもいいでしょう。

---

**問題 20**

1 から $n$ までの番号のついた $n$ 枚の札が袋に入っている。ただし $n \geqq 3$ とし、同じ番号の札はないとする。この袋から 3 枚の札を取り出して、札の番号を大きさの順に並べるとき、等差数列になっている確率を求めよ。

（京都大学　2005 年）

---

まずは少し様子を調べてみましょう。

$n = 3$ のとき　もちろん確率 1。公差 1 の 123 のみ。

$n = 4$ のとき　1234 から 3 つの数字を選んで等差数列になるのは公差 1 の 123，234 の 2 通りなので確率は、

$$\frac{2}{{}_4\mathrm{C}_3} = \frac{1}{2}$$

$n = 5$ のとき　12345 から 3 つ選んで等差数列になるのは公差 1 の 123，234，345 と公差 2 の 135 の 4 通りなので、$\dfrac{4}{{}_5\mathrm{C}_3} = \dfrac{2}{5}$

$n = 6$ のとき　123456 から 3 つ選んで等差数列になるのは、公差 1 の 123，234，345，456 の 4 通りと、公差 2 の 135，246 の 2 通りなので、$\dfrac{6}{{}_6\mathrm{C}_3} = \dfrac{3}{10}$

このように等差数列の可能な公差 $d$ は $n$ が 2 増えるごとに増えていくので、まずは $n$ を偶数と奇数に分類して考える。

$n$ が奇数の場合

公差 1 の等差数列の初項は 1, 2, 3, $\cdots$, $n-2$ までの $(n-2)$ 通り

公差 2 の等差数列の初項は 1, 2, 3, $\cdots$, $n-4$ までの $(n-4)$ 通り

最大の公差は $\dfrac{n-1}{2}$ で、

その等差数列は 1 通り $\left\{1, \dfrac{n+1}{2}, n\right\}$

したがって、$n$ が奇数の場合の等差数列は全部で、

$$(n-2)+(n-4)+\cdots+3+1 \quad \left(\text{項数は } \dfrac{n-1}{2} \text{ 個}\right)$$

(初項 + 末項) × 項数 × $\dfrac{1}{2}$ なので、$\dfrac{(n-1)^2}{4}$

よって、求める確率は、

$$\dfrac{\frac{(n-1)^2}{4}}{{}_n\mathrm{C}_3} = \dfrac{6(n-1)^2}{4n(n-1)(n-2)} = \dfrac{3(n-1)}{2n(n-2)}$$

$n$ が偶数の場合

公差 1 の等差数列の初項は

1, 2, 3, $\cdots$, $n-2$ までの $n-2$ 通り

公差 2 の等差数列の初項は

1, 2, 3, $\cdots$, $n-4$ までの $n-4$ 通り

最大の公差は $\dfrac{n-2}{2}$ で、その等差数列は 2 通り

$$\left\{1, \dfrac{n}{2}, n-1\right\} \text{ と } \left\{2, \dfrac{n+2}{2}, n\right\}$$

したがって、$n$ が偶数の場合の等差数列は全部で、

$$(n-2) + (n-4) + \cdots + 2 \left(項数は \frac{n-2}{2} 個\right)$$

同じく、(初項 + 末項) × 項数 × $\frac{1}{2}$ を用いて、

$$\frac{n(n-2)}{4}$$

よって、求める確率は、

$$\frac{\frac{n(n-2)}{4}}{{}_n\mathrm{C}_3} = \frac{6n(n-2)}{4n(n-1)(n-2)} = \frac{3}{2(n-1)}$$

*Point*

偶数・奇数の場合分けが必要であることに気づくためには、やはり扱いやすい数で実験をしてみることが重要です。問題文が平易なだけに、そのまま取りかかりたくなりますが、おもしろい仕掛けがされた問題です。

---

問題 21

$n \geqq 3$ とする。1, 2, $\cdots$, $n$ のうちから重複を許して 6 個の数字をえらび、それを並べた順列を考える。このような順列のうちで、どの数字もそれ以外の 5 つの数字のどれかに等しくなっているようなものの個数を求めよ。

（京都大学　1993 年）

---

選んだ 6 個の数字がバラバラではダメなことはすぐにわかるでしょう。

まず、同じ数字が最低 2 個はなければならないので $aabbcc$

($a, b, c$ は選んだ数字) というタイプが考えられます。

さらに、3 種類の数字を選ぶのはこのパターンしかなく、4 種類以上の数字を選ぶことは不可能だということがわかります。

結果、選ぶ数字は 2 種類か 1 種類ということになり、パターンは次の通りです。

$aabbcc \cdots$ ①　　　$aabbbb \cdots$ ②

$aaabbb \cdots$ ③　　　$aaaaaa \cdots$ ④

①　数字の選び方 $_n\mathrm{C}_3$

　　　6 個の数字の並べ方 $\dfrac{6!}{2!2!2!}$

②　数字の選び方 $_n\mathrm{C}_2 \times 2$

　　　6 個の数字の並べ方 $\dfrac{6!}{2!4!}$

③　数字の選び方 $_n\mathrm{C}_2$

　　　6 個の数字の並べ方 $\dfrac{6!}{3!3!}$

④　数字の選び方 $n$

以上より、求める場合の数は

$$\dfrac{n(n-1)(n-2)}{3!} \times \dfrac{6!}{2!2!2!} + \dfrac{n(n-1)}{2!}$$

$$\times 2 \times \dfrac{6!}{2!4!} + \dfrac{n(n-1)}{2!} \times \dfrac{6!}{3!3!} + n$$

$$= n(15n^2 - 20n + 6)$$

*Point*

「どの数字もそれ以外の 5 つの数字のどれかに等しくなっている」という日本語を正しく理解できるかどうかにあります。そこがきちんと理解できれば、解法自体はとても平易なことに驚きます。数学の試験問題でも文章読解力をためされる問題です。

---

**問題 22**

3 人で‘ジャンケン’をして勝者をきめることにする。たとえば、1 人が‘紙’を出し、他の 2 人が‘石’を出せば、ただ 1 回でちょうど 1 人の勝者がきまることになる。3 人で‘ジャンケン’をして、負けた人は次の回に参加しないことにして、ちょうど 1 人の勝者がきまるまで、‘ジャンケン’をくり返すことにする。このとき、$k$ 回目に、はじめてちょうど 1 人の勝者がきまる確率を求めよ。

（東京大学　1971 年・東北大学　2004 年）

---

まずは、場合分けを考えてみましょう。

　　A ··· 3 人で 1 人だけ勝つ

　　B ··· 3 人で 1 人だけ負ける

　　C ··· 3 人であいこ

　　D ··· 2 人であいこ

　　E ··· 2 人で 1 人だけ勝つ

　このように分類できます。さらに、A と E のときには勝負が終了します。

　ここで勝負の終わり方に注目すると、

A で突然終わるのはそれまでずっと C が続いた後 A が
起きる場合のみ。

E で終わるのは CCC⋯BDD⋯E（C は起こらず B
からはじまってもよい）。

それぞれの事象が起こる確率は、

3 人の場合、手の出し方は $3^3$ 通りとなり、2 人の場合は
$3^2$ 通りとなる。

A：1 人だけ勝つのは各人それぞれ 3 通り（グ・チ・チ、
パ・グ・グ、チ・パ・パ）の勝ち方があるので確率は、

$$\frac{3 \times 3}{3^3} = \frac{1}{3}$$

B：1 人だけ負けるのは A と同じなので、$\dfrac{3 \times 3}{3^3} = \dfrac{1}{3}$

C：3 人でジャンケンした場合の事象は A、B、C のいず
れかなので、$1 - \dfrac{1}{3} \times 2 = \dfrac{1}{3}$

D：2 人であいこになるのは 3 通り（グ・グ、チ・チ、パ・
パ）なので、$\dfrac{3}{3^2} = \dfrac{1}{3}$

E：2 人で 1 人勝つのは D 以外なので、$1 - \dfrac{1}{3} = \dfrac{2}{3}$

$(k-1)$ 回、3 人であいこの C が続いて A で終わる場
合は、CCC⋯CA

$P(\mathrm{C}) = P(\mathrm{A}) = \dfrac{1}{3}$　なので $\dfrac{1}{3^k}$

CC⋯BDD⋯DE の場合は、

$P(\mathrm{C}) = P(\mathrm{B}) = P(\mathrm{D}) = \dfrac{1}{3}$, $P(\mathrm{E}) = \dfrac{2}{3}$ なので、

$$\left(\frac{1}{3}\right)^{k-1} \cdot \frac{2}{3}$$

そして、Bのくる位置が $k-1$ 通りあるので、

$$\left\{\left(\frac{1}{3}\right)^{k-1} \cdot \frac{2}{3}\right\}(k-1) = \frac{2(k-1)}{3^k}$$

以上より、求める確率は、

$$\frac{1}{3^k} + \frac{2(k-1)}{3^k} = \frac{2k-1}{3^k}$$

＊グ：グー　チ：チョキ　パ：パー

*Point*

　基本的な問題ですが、これは東京大学が出題し、後に東北大学でもまったく同じ出題がされています。あらためて場合分けの理解力と展開力がためされる良い問題です。

**問題 23**

$n$ を正の整数とし、$n$ 個のボールを 3 つの箱に分けて入れる問題を考える。ただし、1 個のボールも入らない箱があってもよいものとする。以下に述べる 4 つの場合について、それぞれ相異なる入れ方の総数を求めたい。

(1)　1 から $n$ まで異なる番号のついた $n$ 個のボールを、A, B, C と区別された 3 つの箱に入れる場合、その入れ方は全部で何通りあるか。

(2)　互いに区別のつかない $n$ 個のボールを、A, B, C と区別された 3 つの箱に入れる場合、その入れ方は全部で何通りあるか。

(3)　1 から $n$ まで異なる番号のついた $n$ 個のボールを、区別のつかない 3 つの箱に入れる場合、その入れ方は全部で何通りあるか。

(4)　$n$ が 6 の倍数 $6m$ であるとき、$n$ 個の互いに区別のつかないボールを、区別のつかない 3 つの箱に入れる場合、その入れ方は全部で何通りあるか。

(東京大学　1996 年)

(1)　それぞれの番号のボールを 3 つの箱に振り分けていくので $3^n$ 通り。

(2)　この問題は、●●● $\cdots$ ● $|\,|$ という $n$ 個のボールと 2 本の仕切り棒を並べる場合の数と同じなので、

$$_{n+2}\mathrm{C}_2 = \frac{(n+2)(n+1)}{2} \ 通り$$

(3) （1）の結果から箱の区別をなくせばよいので、例えば、A（① ③）B（②）C（④ ⑤ ⑥）のような場合、（1）ではB（① ③）A（②）C（④ ⑤ ⑥）も別のものとして数えましたが、この(3)においては箱を区別しないので、1通りとなる。

また、（1）では3つの箱を並べ替える、$3! = 6$ 通りも数えているので、（1）の解答を6で割った、$\dfrac{3^n}{6} = \dfrac{3^{n-1}}{2}$ としてしまいたくなりますが、これは間違いです。そもそもこの数は整数になりません。

基本的な方針はいいのですが、この問題では0個の箱も考慮しなければなりません。

0個の箱が1つの場合はA（① ③）B（無）C（② ④ ⑤）は6通りの箱の入れ替えがあるので問題ないが、0個の箱が2つ {A（無）B（無）C（① ② ③）} のような場合には、箱の入れ替えは3通りしかないので別に考えなければならない。したがって、$3^n - 3$（1つの箱にすべてのボールが入る3通りを除いた場合の数）を6で割ればよい。

そして、すべてのボールが1つの箱に入る場合の数（箱を区別すれば3通り、区別しなければ1通り）を加えた数が答えになる。よって、

$$\frac{3^n - 3}{6} + 1 = \frac{3^{n-1} - 1 + 2}{2} = \frac{3^{n-1} + 1}{2} \ \text{通り}$$

(4) （2）の結果から箱の区別をなくせばよい。ボールが $6m$ 個なので、まず箱を区別すれば、

（2）より、$\dfrac{(6m + 2)(6m + 1)}{2} = 18m^2 + 9m + 1$

このうち、すべての箱に入っているボールの個数が異なるものは、箱を区別しない場合に 1 通りのものを 6 回カウントしていることになる。すべての箱のボールの個数が異ならないものは 2 箱が同じか全部同じなので、

$(0, 0, 6m), (1, 1, 6m-2), \ldots, (2m, 2m, 2m), \ldots, (3m, 3m, 0)$

　2 箱の個数が同じ→ $3m$ 箱

　全部の箱の個数が同じ→ 1 箱

　2 箱の個数が同じものは箱を区別すればそれぞれ 3 通りなので、$3m \times 3 = 9m$ 通り、全部の箱の個数が同じものは箱を区別しても 1 通り。

　以上より、箱を区別しないで、すべての箱に入っている個数が異なるものは、

$$(18m^2 + 9m + 1 - 9m - 1) \div 6 = 3m^2$$

　2 箱同じ個数は $3m$ 通り、全箱同じ個数は 1 通りなので、

$$(3m^2 + 3m + 1) \text{ 通り}$$

*Point*

　場合の数においては、起こりうる状況のていねいな分類が要求されます。この問題ではボール、箱、それぞれを区別するか、しないかでの違いをていねいに考え、理解することが重要です。

問題文の条件から、$(n-7):7 = 3:2$ という比率になる場合を想定し、この方程式を解くと、$n = 17.5$ となる。そこで、17 個前後が答えにあるだろうと目星をつけておきます。

まず、$n$ 個から 5 個を取り出す場合の数は、

$$_n\mathrm{C}_5 = \frac{n(n-1)(n-2)(n-3)(n-4)}{5!}$$

次に、$n-7$ 個から 3 個取り出す場合の数は、

$$_{n-7}\mathrm{C}_3 = \frac{(n-7)(n-8)(n-9)}{3!}$$

7 個から 2 個取り出す場合の数は $\dfrac{7 \times 6}{2 \times 1} = 21$ なので、

$$P_n = \frac{\dfrac{(n-7)(n-8)(n-9)}{3!} \times 21}{\dfrac{n(n-1)(n-2)(n-3)(n-4)}{5!}}$$

$$= \frac{7(n-7)(n-8)(n-9) \times 5!}{2n(n-1)(n-2)(n-3)(n-4)} \quad (> 0)$$

しかし、この関数の最大値を求めるのは大変なので、$n$ が自然数であることを生かして $P_{n+1}$ と $P_n$ の大きさを比べてみる。

$$\frac{P_{n+1}}{P_n}$$

$$= \frac{7(n+1-7)(n+1-8)(n+1-9) \times 5!}{2(n+1)(n+1-1)(n+1-2)(n+1-3)(n+1-4)}$$

$$\times \frac{2n(n-1)(n-2)(n-3)(n-4)}{7(n-7)(n-8)(n-9) \times 5!}$$

$$= \frac{(n-6)(n-4)}{(n+1)(n-9)}$$

$$\frac{P_{n+1}}{P_n} > 1 \quad \Leftrightarrow \quad \frac{(n-6)(n-4)}{(n+1)(n-9)} > 1$$

$$\Leftrightarrow \quad n^2 - 10n + 24 > n^2 - 8n - 9$$

$$\Leftrightarrow \quad -2n > -33$$

$$\Leftrightarrow \quad n < 16.5$$

$n$ は、10 以上の自然数なので、$10 \leqq n \leqq 16$

同様に、$\dfrac{P_{n+1}}{P_n} < 1 \quad \Leftrightarrow \quad n > 16.5$

$n$ は、10 以上の自然数なので、$n \geqq 17$

よって、$P_{10} < P_{11} < \cdots < P_{16} < P_{17} > P_{18} > \cdots$

ゆえに $n = 17$ のとき $P_n$ は最大となる。


*Point*

　普通の感覚で、赤玉と白玉が 3：2 の割合で取り出される確率が高くなるのは、全体の割合も 3：2 の場合であることは想像がつきます。そのことから答えの目星をつけることがアプローチとしておもしろい問題です。

まず、1 以外の目で、積が 12 になる組は次の 3 通りあります。

$2 \times 6, 3 \times 4, 2 \times 2 \times 3$

(1)  $n$ について場合分けを考えます。

$n = 1$ の場合は、$p_1 = 0$

$n = 2$ の場合は、36 通りの出方のうち $(2, 6)$, $(6, 2)$, $(3, 4)$, $(4, 3)$ の 4 通りがあるから

$$p_2 = \frac{4}{36} = \frac{1}{9}$$

$n \geq 3$ の場合、次のように 2 種類にわける。

(i)  $2 \times 6, 3 \times 4$ のときは、1 以外の目が出るのは最後の $n$ 回目に 1 回と、それ以前の $(n-1)$ 回のうちの 1 回である。よって、$(2, 3, 4, 6)$ のどれかが $(n-1)$ 回のどこかで出て、$n$ 回目に積が 12 になる目が出るので、$4(n-1)$ 通り。

(ii)  $2 \times 2 \times 3$ の場合

最後が 3 の場合　　$_{n-1}\mathrm{C}_2 = \dfrac{(n-1)(n-2)}{2}$

118

$$\text{最後が 2 の場合} \quad {}_{n-1}C_2 \times 2 = \frac{(n-1)(n-2)}{2} \times 2$$
$$= (n-1)(n-2)$$

$$\therefore p_n = \left(\frac{1}{6}\right)^n \left\{4(n-1) + \frac{(n-1)(n-2)}{2} + (n-1)(n-2)\right\}$$
$$= \frac{(n-1)(3n+2)}{2 \cdot 6^n}$$

これは $n = 1, 2$ でも成立している。

(2)　$n$ 回で積が 12 となる条件は、$k$ 回目（$k$ は 2 以上の整数）に積が 12 となり、以降、$n$ 回目まですべて 1 が出続ける場合なので、

(1) より、$p_k = \dfrac{(k-1)(3k+2)}{2 \cdot 6^k}$

これは $k = 1$ でも成立している。

$$\therefore q_n = \sum_{k=1}^{n} \frac{(k-1)(3k+2)}{2 \cdot 6^k} \cdot \left(\frac{1}{6}\right)^{n-k}$$
$$= \frac{1}{2 \cdot 6^n} \sum_{k=1}^{n} (k-1)(3k+2)$$
$$= \frac{n(n-1)(n+2)}{2 \cdot 6^n}$$

これは $n = 1$ でも成立している。

*Point*

　問題文が平易なだけに、一見シンプルに見えますが、条件をていねいに分類していく展開力が要求される、考える力が試される問題です。

# 第5章　指数・対数

　「対数の発明は天文学者の寿命を倍に延ばした」と言われています。数学の授業で $y = 2^x$ のグラフを描くときにイメージ図として滑らかに上昇していくグラフを描きますが、実際はほぼ垂直上昇のグラフで、まさにあっという間に天文学的数字になってしまいます。一方、対数関数のグラフは上昇が極めて緩やかです。

〈対数の基本公式〉

$$\log_a MN = \log_a M + \log_a N, \quad \log_a M^n = n \log_a M$$

　これを見てわかるように対数は「かけ算」→「足し算」、「累乗」→「かけ算」というように、増えていくペースが1段遅い演算に変えることができるところがミソなのです。

　本書でもいくつか紹介する「$6^{100}$ は何桁で最高位の数字はいくつか」といった類の問題は、爆発的に増大する指数関数の値を何とか求めようとしてきた先人たちの苦労の歴史を垣間見る問題なのです。ただし、本当の苦労は個々の具体的な $N^a$ の値を求めるところにあるのではありません。

　対数関数は上昇が緩やかではあります。ただ、数値が小さいからといってその値を求めることが容易であるわけではありません。これらの問題を解くときに与えられる $\log_{10} 2 = 0.3010$ や $\log_{10} 3 = 0.4771$ という近似値は教

科書の巻末についている常用対数表から得られます。その常用対数表、最初に作るのには数年もの月日を要した苦労の結晶なのです。

　30番の札幌医科大学の問題は、$\log_{10} 2$ の小数第2位くらいは自分で導いて先人たちの苦労の何万分の1でもいいから味わってもらい対数の本質のほんの一部でも垣間見て欲しいという意図なのではないでしょうか。

**問題 26**

すべての実数 $x$ に対して不等式 $2^{2x+2}+2^x a+1-a>0$ が成り立つような実数 $a$ の範囲を求めよ。

（東北大学　2009 年）

まず、$2^x=t$ とおくと、

$2^{2x+2}+2^x a+1-a$

$=4\cdot(2^x)^2+a\cdot2^x+1-a$

$=4t^2+at+1-a>0$

$f(t)=4t^2+at+1-a$ とおくと、

$t=2^x>0$ なので、

$t>0$ でつねに $f(t)>0$ が成り立つ条件を求める。

$$f(t)=4\left(t+\frac{a}{8}\right)^2-\frac{a^2}{16}-a+1 \text{ より、}$$

$y=f(t)$ のグラフの軸は、$t=-\dfrac{a}{8}$

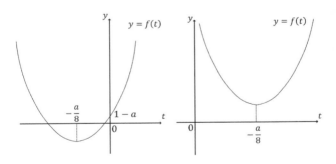

i)　$-\dfrac{a}{8}\leqq0\ \Leftrightarrow\ a\geqq0$ のとき

$$f(0) = 1 - a \geqq 0 \iff a \leqq 1$$

$a \geqq 0$ より  $0 \leqq a \leqq 1$

ii)  $-\dfrac{a}{8} > 0 \iff a < 0$ のとき、$t > 0$ で $f(t) > 0$

が成り立つ条件は、

グラフより、

$$f\left(-\frac{a}{8}\right) = -\frac{a^2}{16} - a + 1 > 0$$

$$a^2 + 16a - 16 < 0$$

これを解くと、$-8 - 4\sqrt{5} < a < -8 + 4\sqrt{5}$

$a < 0$ より、

$$-8 - 4\sqrt{5} < a < 0$$

i) または ii) より

$$-8 - 4\sqrt{5} < a \leqq 1$$

*Point*

$t = 2^x (> 0)$ とおき、$t$ の 2 次関数 $f(t)$ の問題に帰着させます。この問題の場合、$y = f(t)$ のグラフの軸が「$y$ 軸またはその左側にある」か、「$y$ 軸の右側にある」かで、場合分けします。前者は $f(0) \geqq 0$ でなければならず、後者は $y = f(t)$ のグラフの頂点の $y$ 座標が正でなければなりません。

## 問題 27

次の不等式を満たす $x$ の範囲を求めよ。

$$\log_2(1-x) + \log_4(x+4) \leqq 2$$

（大阪大学　1975 年）

真数条件より、$0 < 1-x$ かつ $0 < x+4$。よって、

$-4 < x < 1 \cdots$ ①

底を $2$ にそろえて、

$$\log_2(1-x) + \frac{\log_2(x+4)}{\log_2 4} \leqq \log_2 4$$

$$\log_2(1-x) + \frac{\log_2(x+4)}{2} \leqq 2$$

$$2\log_2(1-x) + \log_2(x+4) \leqq 4$$

$$\log_2(1-x)^2(x+4) \leqq \log_2 16$$

一般に、$y = \log_a x \;(a > 0,\, a \neq 1)$ のグラフは、

底 $a > 1$ のときは単調に増加なので、底 $2 > 1$ より

$$(1-x)^2(x+4) \leqq 16$$

展開して整理すると、

$$x^3 + 2x^2 - 7x - 12 \leqq 0$$

$$(x+3)(x^2 - x - 4) \leqq 0 \cdots$$ ②

$x^2 - x - 4 = 0$ の

解は $x = \dfrac{1 \pm \sqrt{17}}{2}$

グラフより ② の不

等式を満たす $x$ の範囲

は、$x \leqq -3$ または

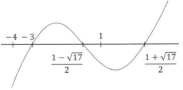

$$\frac{1 - \sqrt{17}}{2} \leqq x \leqq \frac{1 + \sqrt{17}}{2}$$

① とあわせて、$-4 < x \leqq -3$ または $\dfrac{1 - \sqrt{17}}{2} \leqq x < 1$

*Point*

対数不等式を解く前に、まず真数条件を求めます。対数の底がそろっていないときは、底の変換公式を用いて、これをそろえます。

$a > 0,\ a \neq 1$ とし、$M, N > 0$ とします。

$\log_a M \leqq \log_a N$ ‥‥③ であるとき、

$a > 1$ のとき ③ $\Leftrightarrow M \leqq N$（不等号の向きは変わらない）

$0 < a < 1$ のとき ③ $\Leftrightarrow M \geqq N$（不等号の向きが逆向きになる）

となることに注意します。ここで得られた解とあらかじめ求めておいた真数条件の共通部分が求める解となります。

---

**問題 28**

$n$ を自然数とする。5832 を底とする $n$ の対数 $\log_{5832} n$ が有理数であり $\dfrac{1}{2} < \log_{5832} n < 1$ を満たすとき、$n$ を求めよ。

（群馬大学　2014 年）

---

大きな整数を見たらまずは素因数分解。このとき、2 ではなく 9 で割れるかを判断するのがコツです。

$5832 = 2^3 \times 3^6$ $\log_{5832} n$ が有理数なので、

$\log_{2^3 3^6} n = \dfrac{p}{q}$ （$p, q$ は互いに素な自然数。$q \neq 1$）

$(2^3 3^6)^{\frac{p}{q}} = n$, $2^{\frac{3p}{q}} 3^{\frac{6p}{q}} = n$

一般的に $r$ が素数なら $r^{\frac{1}{m}}$ は無理数（$m$ は 2 以上の自然数)

（証明） $r^{\frac{1}{m}}$ が有理数であると仮定すると、

$r^{\frac{1}{m}} = \dfrac{s}{t}$ （$s, t$ は自然数で互いに素）の両辺を

$m$ 乗すると、

$r = \dfrac{s^m}{t^m} \Leftrightarrow r t^m = s^m$

素因数分解の一意性より、この式は矛盾する（左辺には素因数 $r$ が $(m+1)$ 個、右辺には $m$ 個）。

したがって、$r^{\frac{1}{m}}$ は無理数である。

このことから、分母の $q$ は約分されて 1 にならなければならない。また、$p$ と $q$ は互いに素なので、$q$ は 3 と 6 の公約数で、$q \neq 1$ より $q = 3$

以上より、$2^p 3^{2p} = n$

また、$\dfrac{1}{2} < \dfrac{p}{q} < 1$, $q = 3$ より、

$\dfrac{1}{2} < \dfrac{p}{3} < 1 \Leftrightarrow \dfrac{3}{2} < p < 3$

$p$ は整数なので $p = 2$

よって、$p = 2$, $q = 3$ なので $n = 2^2 3^4 = 324$

---

**問題 29**

　$6^n$ が 39 桁の自然数になるときの自然数 $n$ を求めよ。その場合の $n$ に対する $6^n$ の最高位の数字を求めよ。ただし、$\log_{10} 2 = 0.3010,\ \log_{10} 3 = 0.4771$ とする。

（東北大学　2006 年）

---

　問題文に log の近似値が提示されています。

　$6^n$ が 39 桁なので、$10^{38} \leq 6^n < 10^{39}$

　常用対数をとって、

　　$\log_{10} 10^{38} \leq \log_{10} 6^n < \log_{10} 10^{39}$

　　$38 \leq n \log_{10} 6 < 39$

　　$\Leftrightarrow\ \ 38 \leq n(\log_{10} 2 + \log_{10} 3) < 39$

　　$38 \leq 0.7781n < 39\ \Leftrightarrow\ \dfrac{38}{0.7781} \leq n < \dfrac{39}{0.7781}$

　　$48.8 \cdots \leq n < 50.1 \cdots$

　　$n$ は自然数なので $n = 49,\ 50$

　　$n = 49$ のとき、$\log_{10} 6^n = 49 \times 0.7781 = 38.1269$

　　$6^n = 10^{38.1269} = 10^{0.1269} \times 10^{38}$

　　$0 < 0.1269 < \log_{10} 2$ なので、$1 < 10^{0.1269} < 2$

　したがって、最高位の数字は 1。

　　$n = 50$ のとき、

$$\log_{10} 6^n = 50 \times 0.7781 = 38.905$$
$$6^n = 10^{38.905} = 10^{0.905} \times 10^{38}$$
$$0.3010 \times 3 < 0.905 < 0.4771 \times 2$$
$$3\log_{10} 2 < 0.905 < 2\log_{10} 3 \iff 8 < 10^{0.905} < 9$$

したがって、最高位の数字は 8。

*Point*

$6^{49}$ と $6^{50}$ の桁数が同じであるとわかった時点で、$6^{49}$ の最高位の数字は 1 というのは上記の計算をしなくてもわかります！　なぜなら、最高位の数字が 2 以上なら 6 倍すれば桁が増えるからです。

---

### 問題 30

(i)　$n$ を自然数とする。$2^n$ が 4 桁の数になるときの $n$ を求めよ。

(ii)　$5^{130}$ は何桁の数か。

（札幌医科大学　2019 年　(1)、(2) は省略）

(i)　$2^{10} = 1024, 2^{11} = 2048, 2^{12} = 4096,$
　　$2^{13} = 8192$ より、
　　$n = 10, 11, 12, 13$

(ii)　$5^{130} = x$ として両辺に常用対数を取ると、
　　$\log_{10} 5^{130} = \log_{10} x \iff 130\log_{10} 5 = \log_{10} x$
　　$130\log_{10}\dfrac{10}{2} = \log_{10} x \iff 130(\log_{10} 10 - \log_{10} 2)$

$= \log_{10} x \Leftrightarrow 130(1 - \log_{10} 2) = \log_{10} x \cdots$ ①

ここで $\log_{10} 2$ の値を評価する。(i) より、

$$10^3 < 2^{10} \, , \, 2^{13} < 10^4$$

おのおのに底 10 の対数を取ると、

$$3 < 10 \log_{10} 2 \, , \, 13 \log_{10} 2 < 4$$

$$\frac{3}{10} < \log_{10} 2 < \frac{4}{13} \cdots$$ ②

① ② より、

$$130 \left( 1 - \frac{4}{13} \right) < 130(1 - \log_{10} 2) < 130 \left( 1 - \frac{3}{10} \right)$$

$$130 \left( 1 - \frac{4}{13} \right) < \log_{10} x < 130 \left( 1 - \frac{3}{10} \right)$$

$$90 < \log_{10} x < 91$$

$$10^{90} < x < 10^{91}$$

したがって、$x = 5^{130}$ は 91 桁の数である。


*Point*

この問題の最大のポイントは常用対数の近似値が与えられていないことです。$\log_{10} 2 \approx 0.3010$ というのは暗記している人も多いかもしれませんが、それを使ってはいけませんというメッセージが (i) の問いに込められているように感じます。

---

**問題31**

自然数 $m, n$ と $0 < a < 1$ を満たす実数 $a$ を、等式 $\log_2 6 = m + \dfrac{1}{n+a}$ が成り立つようにとる。

以下の問いに答えよ。

(1) 自然数 $m, n$ を求めよ。

(2) 不等式 $a > \dfrac{2}{3}$ が成り立つことを示せ。

（大阪大学　2006年）

---

(1)　まず、$\log_2 4 < \log_2 6 < \log_2 8$ といえるので、

$$2 < \log_2 6 < 3, \ 0 < \frac{1}{n+a} < 1 \ \text{なので、} m = 2$$

$$\therefore \log_2 6 - 2 = \frac{1}{n+a}$$

$$\log_2 6 - 2 = \log_2 6 - \log_2 2^2 = \log_2 \frac{3}{2} = \log_2 3 - 1$$

$$2^3 < 3^2 \ \text{より、} \log_2 2^3 < \log_2 3^2 \quad \therefore \frac{3}{2} < \log_2 3$$

$$2^5 > 3^3 \ \text{より、} \log_2 2^5 > \log_2 3^3 \quad \therefore \frac{5}{3} > \log_2 3$$

$$\frac{3}{2} < \log_2 3 < \frac{5}{3}$$

$$\frac{3}{2} - 1 < \log_2 3 - 1 = \frac{1}{n+a} < \frac{5}{3} - 1$$

$$\frac{1}{2} < \frac{1}{n+a} < \frac{2}{3} = \frac{1}{1.5} \ , \ 0 < a < 1 \ \text{より} \ n = 1$$

(2)　(1) より、$\log_2 3 - 1 = \dfrac{1}{1+a} \ \Leftrightarrow \ \log_2 3 = \dfrac{a+2}{a+1}$

$$\log_2 3 = \frac{a+2}{a+1} < \frac{5}{3} \Leftrightarrow a > \frac{1}{2} \text{なので、} a > \frac{2}{3} \text{を}$$

示すには $\log_2 3$ をもう少し精密に評価する。

$$2^8 > 3^5 \Leftrightarrow \log_2 2^8 > \log_2 3^5 \Leftrightarrow \frac{8}{5} > \log_2 3$$

$$\therefore \log_2 3 = \frac{a+2}{a+1} < \frac{8}{5} \Leftrightarrow a > \frac{2}{3}$$

*Point*

$\log_2 3 \ (= 1. \cdots)$ の値をどう評価するのかが問われている問題です。2 の累乗と 3 の累乗を用いて、

$$2^p < 3^q \Leftrightarrow \log_2 2^p < \log_2 3^q \Leftrightarrow \frac{p}{q} < \log_2 3$$

$$2^r > 3^s \Leftrightarrow \log_2 2^r > \log_2 3^s \Leftrightarrow \frac{r}{s} > \log_2 3$$

を満たす自然数 $p,\ q,\ r,\ s$ を見つけることにより、$\log_2 3$ より大きい、または小さい有理数を見つけて、$\log_2 3$ を評価しています。精密な評価を行うとなると、$p,\ q$ または $r,\ s$ の値を大きくする必要があります。

---

**問題 32**

$m,\ n$ は正の整数で、$m < n$ とする。$0 < x < 1$ のとき、$\left(1 + \dfrac{x}{m^2}\right)^m$, $\left(1 + \dfrac{x}{n^2}\right)^n$ の大小を定めよ。

(東京工業大学　1977 年)

---

$0 < x < 1$ より、$\left(1 + \dfrac{x}{m^2}\right)^m$, $\left(1 + \dfrac{x}{n^2}\right)^n$ はともに

正。それぞれに自然対数をとって、

$$m \log \left(1 + \frac{x}{m^2}\right), \quad n \log \left(1 + \frac{x}{n^2}\right) \text{の大小を比較す}$$

ればよい。

$$f(x) = m \log \left(1 + \frac{x}{m^2}\right) - n \log \left(1 + \frac{x}{n^2}\right) \, (0 < x < 1)$$

とすると、

$$f'(x) = m \frac{\frac{1}{m^2}}{1 + \frac{x}{m^2}} - n \frac{\frac{1}{n^2}}{1 + \frac{x}{n^2}}$$

$$= \frac{(m - n)(x - mn)}{(x + m^2)(x + n^2)} \, (0 < x < 1)$$

$$(x + m^2)(x + n^2) > 0$$

$$m - n < 0$$

$$x - mn < 0 \, (0 < x < 1, \, m, \, n \text{は正の整数})$$

$$\therefore f'(x) > 0 \, (0 < x < 1) \text{ したがって、} f(x) \text{ は単調増加}$$

$$\lim_{x \to 0} f(x) = 0 \text{ から、} f(x) > 0$$

以上より、$\left(1 + \frac{x}{m^2}\right)^m > \left(1 + \frac{x}{n^2}\right)^n$

*Point*

　一見複雑そうでも「指数があるので対数をとる」、「大小比較だから引き算をする」といった基本的なことを行っていけば解答にたどり着けます。

# 第6章　微分・積分

　微分積分は中学までの数学にはない高校数学の魅力がたっぷり詰まった分野です。ただし、その魅力に気づくにはひとつひとつの公式の成り立ちを定義に基づいて自ら導いて理解する必要があります。残念ながら多くの高校生は理解しようともせずに意味不明の公式をただひたすら丸暗記してしまいます。それでは数学が嫌いになるのも当然です。

　関数 $y = f(x)$ 上の2点 $(a, f(a))$, $(bf(b))$ を結ぶ直線の傾き、すなわち変化の割合は $\dfrac{f(b) - f(a)}{b - a}$ で、$b$ が $a$ に限りなく近づく、すなわち $x$ の増加量がほとんど0になれば、瞬間における傾き、それは接線の傾きを表すであろうという発想から、

$$微分の定義\quad f'(x) = \lim_{h \to 0} \frac{f(x+h) - f(x)}{h}$$

があり、すべての微分公式は当然のことながらこの定義を出発点にして求めます。

　大阪大学が $\sin x$ の導関数が $\cos x$ であることを証明させる問題を出題したのも「微分の定義をきちんと理解していますか？」というメッセージなのではないでしょうか。

**問題 33**

方程式 $x^3 + x - 8 = 0$ は
(1)　ただ 1 つの実根を、1 と 2 との間にもつことを示せ。
(2)　この根は無理数であることを証明せよ。

(京都大学　1966 年)

(1)　$f(x) = x^3 + x - 8$ とおくと、

$f'(x) = 3x^2 + 1 > 0$

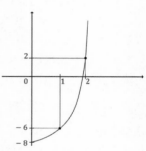

したがって、$f(x)$ は単調
増加で、$f(1) = -6 < 0$,
$f(2) = 2 > 0$ であるから、
方程式 $f(x) = 0$ はただ 1 つ
の実根を 1 と 2 の間にもつ。

(2)　この方程式が有理数解をもつと仮定する。

その解を $\dfrac{m}{n}$ とする（$m, n$ は正の整数で互いに素、(1)
より $n \neq 1$）

$$\left(\frac{m}{n}\right)^3 + \frac{m}{n} - 8 = 0$$

両辺を $n^3$ 倍して整理すると、

$$m^3 = n(8n^2 - mn)$$

これは $m^3$ が $n\ (\neq 1)$ の倍数であることを示し、互いに
素であるという仮定に矛盾する。したがって、有理数の解を
もつと仮定したことが誤りなので、解は無理数である。

*Point*

　一般的に整数係数の $d$ 次方程式

　　$a_d x^d + a_{d-1} x^{d-1} + \cdots + a_1 x + a_0 = 0 \ (a_d \neq 0)$ に有

理数解があるとすれば、

　　$\pm \dfrac{|(a_0 \text{の約数})|}{|(a_d \text{の約数})|}$　のみです。

　この証明は、入試にも頻出問題で手法は上記解答と同じ方法です。

---

### 問題34

　次の空欄を適当な数で埋めよ。$x$ を未知数とする 3 次方程式 $8x^3 - 6x + 1 = 0$ は、$0 < x < 1$ の範囲に　**イ**　個の実解を持つ。$\alpha,\ \beta,\ \gamma$ をこの方程式の解とする。$\alpha\beta + \beta\gamma + \gamma\alpha$ の値を求めると、$\alpha\beta + \beta\gamma + \gamma\alpha =$ 　**ロ**　である。$S = \displaystyle\sum_{n=0}^{\infty} (\alpha^n + \beta^n + \gamma^n)$ の値を求めると、$S =$ 　**ハ**　である。

（慶應義塾大学　1993 年　(2) 以降省略）

---

$f(x) = 8x^3 - 6x^2 + 1$ とおき、
$y = f(x)$ としてグラフを描く。

$\begin{aligned}
f'(x) &= 24x^2 - 6 \\
&= 6(4x^2 - 1) \\
&= 6(2x+1)(2x-1)
\end{aligned}$

$f(1) = 3 > 0,$

$$f\left(\frac{1}{2}\right) = -1 < 0,$$
$$f(0) = 1 > 0,$$
$$f(-1) = -1 < 0$$

から、グラフは図のようになる。

グラフより、$0 < x < 1$ での実解は 2 つなので、

| イ | : 2。

また、$f(x) = 0$ はすべて絶対値が 1 未満の実解を 3 つもつことがわかる。

$|\alpha|, |\beta|, |\gamma| < 1$ なので、

$$S = \sum_{n=0}^{\infty}(\alpha^n + \beta^n + \gamma^n) = \sum_{n=0}^{\infty}\alpha^n + \sum_{n=0}^{\infty}\beta^n + \sum_{n=0}^{\infty}\gamma^n$$

これは項比の絶対値が 1 未満の等比数列の和なのでいずれも収束する。

$$S = \sum_{n=0}^{\infty}\alpha^n + \sum_{n=0}^{\infty}\beta^n + \sum_{n=0}^{\infty}\gamma^n$$

$$= \frac{1}{1-\alpha} + \frac{1}{1-\beta} + \frac{1}{1-\gamma}$$

$$= \frac{(1-\alpha)(1-\beta)+(1-\beta)(1-\gamma)+(1-\gamma)(1-\alpha)}{(1-\alpha)(1-\beta)(1-\gamma)}$$

$$= \frac{3 - 2(\alpha+\beta+\gamma) + (\alpha\beta+\beta\gamma+\gamma\alpha)}{1-(\alpha+\beta+\gamma)+(\alpha\beta+\beta\gamma+\gamma\alpha)-\alpha\beta\gamma} \cdots ①$$

3 次方程式 $f(x) = 0$ の解と係数の関係より、

$$\alpha + \beta + \gamma = 0$$

$$\alpha\beta + \beta\gamma + \gamma\alpha = -\frac{3}{4}$$

$$\alpha\beta\gamma = -\frac{1}{8}$$

これらを ① に代入して $S = 6$

以上より、 $\boxed{\text{ロ}}$ : $-\dfrac{3}{4}$, $\boxed{\text{ハ}}$ : 6

*Point*

少し複雑に見える問題ですが、2つの解が $0 < \alpha < \beta < 1$ であることを求めさせられたときに、3つ目の解も $|\gamma| < 1$ ではないかと予測してみることが重要です。

---

### 問題 35

$n$ を 3 以上の整数とする。関数 $f(x) = 2x^{n+1} - 4x^n + 3$ について、次の問に答えよ。

(1) $f\left(\dfrac{3}{2}\right)$ の符号を調べよ。

(2) 方程式 $f(x) = 0$ の正の解、負の解の個数を求めよ。

(東北大学　1983 年)

---

(1) まず、正攻法で, $f(x)$ に $x = \dfrac{3}{2}$ を代入してみます。

$$f\left(\frac{3}{2}\right) = 2\left(\frac{3}{2}\right)^{n+1} - 4\left(\frac{3}{2}\right)^{n} + 3$$

$$= -\left(\frac{3}{2}\right)^{n} + 3$$

$\dfrac{3}{2} > 1$ なので、$n \geqq 3$ のときの符号を調べると

$$-\left(\frac{3}{2}\right)^n + 3 \leqq -\left(\frac{3}{2}\right)^3 + 3 = -\frac{27}{8} + 3 < 0$$

$$\therefore f\left(\frac{3}{2}\right) < 0$$

(2) $f(x)$ を微分してみます。

$$f'(x) = 2(n+1)x^n - 4nx^{n-1}$$
$$= 2x^{n-1}\{(n+1)x - 2n\}$$

ここで、$x$ の正負にかかわらず、$x^{n-1}$ がつねに正であるか、$x$ の符号と $x^{n-1}$ の符号がつねに一致するか、の違いから、$n$ を偶数と奇数で場合分けし、増減表とグラフを描く。

**$n$ が偶数のとき**

| $x$ | $\cdots$ | $0$ | $\cdots$ | $\frac{2n}{n+1}$ | $\cdots$ |
|---|---|---|---|---|---|
| $f'(x)$ | $+$ | $0$ | $-$ | $0$ | $+$ |
| $f(x)$ | ↗ | $3$ | ↘ | 極小 | ↗ |

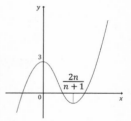

**$n$ が奇数のとき**

| $x$ | $\cdots$ | $0$ | $\cdots$ | $\frac{2n}{n+1}$ | $\cdots$ |
|---|---|---|---|---|---|
| $f'(x)$ | $-$ | $0$ | $-$ | $0$ | $+$ |
| $f(x)$ | ↘ | $3$ | ↘ | 極小 | ↗ |

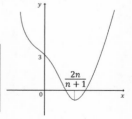

$x > 0$ における最小値は、 $\quad f\left(\dfrac{2n}{n+1}\right) \leqq f\left(\dfrac{3}{2}\right) < 0$

$n$ が偶数のとき、$x \to \pm\infty$ で $f(x) \to \pm\infty$（複号同順）

$n$ が奇数のとき、$x \to \pm\infty$ で $f(x) \to +\infty$

よって、$n$ が偶数のとき、正の解 2 個、負の解 1 個、

$n$ が奇数のとき、正の解 2 個、負の解 0 個。

*Point*

この問題では、$n$ を偶数・奇数で場合分けして論証できる
かが、いちばん難所かもしれません。

---

**問題 36**

$a$ は実数とする。3 次方程式 $x^3 + 3ax^2 + 3ax + a^3 = 0$
の異なる実数解の個数は、定数 $a$ の値によってどのよう
に変わるかを調べよ。

（横浜市立大学　2004 年）

---

$f(x) = x^3 + 3ax^2 + 3ax + a^3$ とおく。

3 次関数 $y = f(x)$ のグラフと $x$ 軸との交点の個数を調べる。

$f'(x) = 3x^2 + 6ax + 3a = 3(x^2 + 2ax + a)$

$f'(x) = 0$ が実数解をもたないか、実数の重解をもつ場合
は、$f(x)$ が極大値・極小値をもたないので、$f(x)$ は単調増
加関数である。$y = f(x)$ のグラフと $x$ 軸との交点は 1 つな
ので実数解は 1 個。

$x$ の 2 次方程式 $\frac{1}{3}f'(x) = 0$ の判別式を $D$ とすると、

$\dfrac{D}{4} = a^2 - a \leqq 0 \Leftrightarrow 0 \leqq a \leqq 1$ のとき、解は 1 個。

$\dfrac{D}{4} = a^2 - a > 0 \Leftrightarrow a < 0,\, a > 1$ のとき、$f'(x) = 0$ は異なる 2 つの実数解をもつので、$f(x)$ は極大値・極小値がある。

ここで $f'(x) = 0$ の異なる 2 つの実数解を $\alpha,\ \beta$ とすると $f(\alpha)$ と $f(\beta)$ の符号が異なれば、$f(x) = 0$ は異なる 3 つの実数解をもち、$f(\alpha)$ と $f(\beta)$ の一方が 0 ならば、$f(x) = 0$ は異なる 2 つの実数解（うち 1 つは重解）をもつ。

つまり、$f(\alpha)f(\beta) < 0$ のとき 3 個、$f(\alpha)f(\beta) = 0$ のとき 2 個。

$f(\alpha)f(\beta) = (\alpha^3 + 3a\alpha^2 + 3a\alpha + a^3)(\beta^3 + 3a\beta^2 + 3a\beta + a^3)$

これをそのまま計算するのは大変なので、

$x^3 + 3ax^2 + 3ax + a^3 = \dfrac{1}{3}f'(x)g(x) + px + q$ と変形すれば、

$$f(\alpha)f(\beta) = \{f'(\alpha) + p\alpha + q\}\{g(\beta) + p\beta + q\}$$
$$= (p\alpha + q)(p\beta + q)$$

となり計算がかなり楽になる。

$(x^3 + 3ax^2 + 3ax + a^3) \div (x^2 + 2ax + a) = x + a$
　　余り　$(2a - 2a^2)x + a^3 - a^2$

$(2a - 2a^2)x + a^3 - a^2 = a(a-1)(-2x+a)$

$f(\alpha)f(\beta) = a^2(a-1)^2(-2\alpha + a)(-2\beta + a)$

$$= a^2(a-1)^2\{4\alpha\beta - 2a(\alpha+\beta) + a^2\}$$

解と係数の関係より、$\alpha + \beta = -2a,\ \alpha\beta = a$ なので、

$$= a^2(a-1)^2(5a^2 + 4a)$$
$$= a^3(a-1)^2(5a + 4)$$

$a < 0,\ a > 1$ において、

$a^3(a-1)^2(5a+4) = 0$ を満たす $a$ は、$a = -\dfrac{4}{5}$ のみ。

$a = -\dfrac{4}{5}$ のとき解は 2 個。

$$a^3(a-1)^2(5a+4) < 0$$

$a > 1$ においてこの不等式を満たす $a$ はない。

$a < 0$ において、つねに、$a^3 < 0,\ (a-1)^2 > 0$ なので、

$5a+4 > 0$ が不等式を満たす $a$ の範囲、$a > -\dfrac{4}{5}$ のとき、

解は 3 個。

　以上より、解の個数は、

$$\begin{cases} a < -\dfrac{4}{5} \text{ のとき } 1 \\[2mm] a = -\dfrac{4}{5} \text{ のとき } 2 \\[2mm] -\dfrac{4}{5} < a < 0 \text{ のとき } 3 \\[2mm] a \geqq 0 \text{ のとき } 1 \end{cases}$$
である。

*Point*

　この問題はグラフを描いて視覚的に捉えるタイプではなく、$f(\alpha)f(\beta) < 0$　ならば実数解が 3 個という事実を利用しますが、その際の計算の工夫が重要になります。

**問題 37**

$n$ を正の整数とする。3次方程式 $x^3+3nx^2-(3n+2)=0$ について、次の問いに答えよ。

(1) すべての正の整数 $n$ について、上の3次方程式は正の解をただ1つしかもたないことを証明せよ。

(2) 各正の整数 $n$ に対して、上の3次方程式の正の解を $a_n$ とする。極限値 $\lim\limits_{n\to\infty} a_n$ を求めよ。

（弘前大学　2008 年）

(1) 左辺を $f(x)$ としてグラフの概形を考察する。
$$f'(x) = 3x^2 + 6nx = 3x(x + 2n)$$
$n > 0$ なので、$f(x)$ は $x = -2n$ で極大、$x = 0$ で極小。よって増減表からグラフはこのようになる。

| $x$ | $\cdots$ | $-2n$ | $\cdots$ | $0$ | $\cdots$ |
|---|---|---|---|---|---|
| $f'(x)$ | $+$ | $0$ | $-$ | $0$ | $+$ |
| $f(x)$ | ↗ | 極大 | ↘ | 極小<br>$-3n-2$ | ↗ |

$f(0) = -3n - 2 < 0$ なので正の実数解が1つであることは明らか。

(2) 正の解 $a_n$ がいくつくらいか見当をつけるために、$f(x)$ が、$x > 0$ において、負 → 正に変わる地点を探る。
$$f(0) = -3n - 2 < 0$$

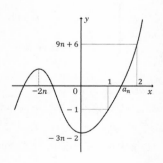

$f(1) = -1 < 0 \quad f(2) = 9n + 6 > 0$

$\therefore 1 < a_n < 1 + \theta_n < 2$

$n \to \infty$ のとき $\theta_n$ は限りなく 0 に近づくことが予想される。

$\displaystyle \lim_{n \to \infty} \theta_n = 0$ ならば、はさみうちの定理により $\displaystyle \lim_{n \to \infty} a_n = 1$

それを示すには、$\theta_n$ を限りなく 0 に近い数のときに、$f(1 + \theta_n) > 0$ であることを示せばよい。

そこで、$n \to \infty$ なので、$\theta_n = \dfrac{1}{n}$ とすると、

$\theta_n \to 0$ であって、

$$f\left(1 + \frac{1}{n}\right) = \left(1 + \frac{1}{n}\right)^3 + 3n\left(1 + \frac{1}{n}\right)^2 - 3n - 2$$

$$1 + \frac{3}{n} + \frac{3}{n^2} + \frac{1}{n^3} + 3n + 6 + \frac{3}{n} - 3n - 2$$

$$= 5 + \frac{6}{n} + \frac{3}{n^2} + \frac{1}{n^3} > 5 > 0$$

よって、$1 < a_n < 1 + \dfrac{1}{n}$ であり、

$$\lim_{n \to \infty} \left(1 + \frac{1}{n}\right) = 1 \text{ より、}$$

はさみうちの定理から、

$$\lim_{n \to \infty} a_n = 1$$

〈別解〉

$$f(a_n) = a_n{}^3 + 3na_n{}^2 - (3n + 2) = 0$$

両辺を $n$ で割ると、

$$\frac{a_n{}^3}{n} + 3a_n{}^2 - 3 - \frac{2}{n}$$

$$= 3(a_n - 1)(a_n + 1) + \frac{a_n{}^3 - 2}{n} = 0$$

$1 < a_n < 2$ より、 $1 < a_n{}^3 < 8 \Leftrightarrow -1 < a_n{}^3 - 2 < 6$

よって $0 \leqq |a_n{}^3 - 2| < 6$

$$0 \leqq \left| \frac{a_n{}^3 - 2}{n} \right| < \frac{6}{n}$$

$\displaystyle\lim_{n \to \infty} \frac{6}{n} = 0$ よりはさみうちの定理から、

$$\lim_{n \to \infty} \frac{a_n{}^3 - 2}{n} = 0 \text{ である。}$$

$n \to \infty$ とすると、 $3 \left( \displaystyle\lim_{n \to \infty} a_n - 1 \right) \left( \displaystyle\lim_{n \to \infty} a_n + 1 \right) = 0$

$a_n > 0$ なので、 $\displaystyle\lim_{n \to \infty} a_n = 1$

*Point*

この関数のグラフは、

$f(0) = -3n - 2 \ (\to -\infty \ (n \to \infty))$

$f(1) = -1$

$f(2) = 9n + 6 \ (\to +\infty \ (n \to \infty))$

であることからほぼ垂直上昇なので、 $a_n$ は $n \to \infty$ のとき、 $x = 1$ の真上の 1 であろうという見込みをつけることも重要です。

**問題 38**

放物線 $C : y = \dfrac{1}{2}x^2 - 1$ 上にない点 P$(a, b)$ をとる。

放物線 $C$ 上の点 Q に対し直線 PQ が点 Q での $C$ の接線と垂直に交わるとき、直線 PQ を P から $C$ への垂線という。

点 P$(a, b)$ から $C$ へ 3 本の異なる垂線が引けるための $a, b$ に関する条件を求めよ。

（信州大学　2011 年）

P$(a, b)$ は放物線 $C : y = \dfrac{1}{2}x^2 - 1$ 上の点ではないので、

$b \neq \dfrac{1}{2}a^2 - 1 \cdots$ ① である。

放物線 $C : y = \dfrac{1}{2}x^2 - 1$ 上の点 Q $\left(t, \dfrac{1}{2}t^2 - 1\right)$ における法線の方程式は、$y' = x$ より、

$$(x - t) + t\left\{ y - \left( \dfrac{1}{2}t^2 - 1 \right) \right\} = 0$$

これが $(a, b)$ を通るので、

$$a - t + bt - \dfrac{1}{2}t^3 + t = 0 \Leftrightarrow t^3 - 2bt - 2a = 0$$

この $t$ の 3 次方程式が相異なる 3 つの実数解をもつような $a, b$ が求める条件となる。

$f(t) = t^3 - 2bt - 2a$ としたときに、$f(t)$ が極大値・極小値をもち、かつ、その符号が反対ならば、$f(t) = 0$ は相異なる 3 つの実数解をもつ。

$f'(t) = 3t^2 - 2b \quad f'(t) = 0$

$f'(t) = 3t^2 - 2b = 0$

$$t^2 = \frac{2}{3}b$$

$f(t)$ が極値をもつためには $b > 0$ でなければならない。
このとき、

$$t = \pm\sqrt{\frac{2}{3}b}$$

$$f\left(\sqrt{\frac{2}{3}b}\right) f\left(-\sqrt{\frac{2}{3}b}\right) < 0$$

$$\left(\frac{2}{3}b\sqrt{\frac{2}{3}b} - 2b\sqrt{\frac{2}{3}b} - 2a\right)\left(-\frac{2}{3}b\sqrt{\frac{2}{3}b} + 2b\sqrt{\frac{2}{3}b} - 2a\right)$$

$$= \left(-\frac{4}{3}b\sqrt{\frac{2}{3}b} - 2a\right)\left(\frac{4}{3}b\sqrt{\frac{2}{3}b} - 2a\right) < 0$$

$$\frac{32}{27}b^3 - 4a^2 > 0 \ \Leftrightarrow \ a^2 < \frac{8}{27}b^3 \cdots ②$$

① かつ ② より、求める $a, b$ の条件は、

$$a^2 < \frac{8}{27}b^3 \ \text{かつ、} \ b \neq \frac{1}{2}a^2 - 1$$

*Point*

　点 $(\alpha, \ \beta)$ から曲線 $y = g(x)$ に接線を引くときに、点 $(\alpha, \ \beta)$ から接線を引くのではなく、曲線 $y = g(x)$ 上の点 $(s, g(s))$ における接線が、点 $(\alpha, \ \beta)$ を通ることを考えるのと同様にして、点 Q $\left(t, \ \frac{1}{2}t^2 - 1\right)$ における放物線 $C$ との法線が、点 P $(a, b)$ を通るとして立式することがポイントです。

**問題39**

$k$ は整数であり、3 次方程式 $x^3 - 13x + k = 0$ は 3 つの異なる整数解をもつ。$k$ とこれらの整数解をすべて求めよ。

（一橋大学　2005 年）

与えられた方程式を変形すると $k = -x^3 + 13x$ であるから、

$f(x) = -x^3 + 13x$ とおき、

$y = k \cdots$ ①, $y = f(x) \cdots$ ②

として、①, ② のグラフを描いて考察する。

$f'(x) = -3x^2 + 13$

$f'(x) = 0$ を満たす $x$ は、$x = \pm\sqrt{\dfrac{13}{3}} \approx \pm 2.\cdots$

（複号同順）

$-x^3 + 13x = 0$ を満たす $x$ は、$x = 0, \pm\sqrt{13} \approx \pm 3.\cdots$

（複号同順）

このことより、グラフの概形はこのようになる。

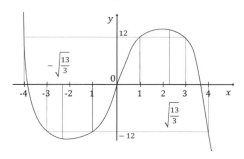

グラフより、$k = 0$ は不適。

$k > 0$ の場合 3 つの解を $\alpha, \beta, \gamma (\alpha < \beta < \gamma)$ とすると、極大値を与える $x$ が $\sqrt{\dfrac{13}{3}} > 2$ なので、$f(1) < f(2)$

したがって、$(\beta, \gamma) = (1, 3), (2, 3)$ のいずれかで、

$\quad f(1) = 12, f(2) = 18, f(3) = 12$ より、

$\quad (\beta, \gamma) = (1, 3)$

解と係数の関係より $\alpha + \beta + \gamma = 0 \qquad \therefore \alpha = -4$

以上より、$k > 0$ の場合は、$k = 12$、3 つの解は $-4, 1, 3$

$y = f(x)$ のグラフは、原点について点対称なので、$k < 0$ の場合も同様の議論より、$k = -12$。よって、3 つの解は、$-3, -1, 4$

*Point*

グラフをていねいに描いて考察する問題ですが、極大値・極小値はきれいな数字になりません。このことから、この問題では、極大値・極小値を求める必要がないことをすぐに判断できることが重要です。

---

**問題 40**

$f(x) = 2x^3 + x^2 - 3$ とおく。直線 $y = mx$ が曲線 $y = f(x)$ と相異なる 3 点で交わるような実数 $m$ の範囲を求めよ。

（大阪大学　2005 年）

---

$f(x) = 2x^3 + x^2 - 3$ と $y = mx$ とが相異なる 3 点で交

わるのは、方程式 $2x^3 + x^2 - 3 = mx \cdots$ ① が相異なる 3 つの実数解をもつときである。

$x = 0$ は ① の解ではないので、① の両辺を $x$ で割って、

$$\frac{2x^3 + x^2 - 3}{x} = m$$

ここで、$g(x) = \dfrac{2x^3 + x^2 - 3}{x}$ とおくと、

$$g'(x) = \frac{(6x^2 + 2x)x - (2x^3 + x^2 - 3)}{x^2}$$

$$= \frac{4x^3 + x^2 + 3}{x^2} = \frac{(x + 1)(4x^2 - 3x + 3)}{x^2}$$

$$4x^2 - 3x + 3 = 4\left(x - \frac{3}{8}\right)^2 + \frac{39}{16} > 0$$

$$\lim_{x \to -\infty} g(x) = \infty, \quad \lim_{x \to -0} g(x) = \infty$$

$$\lim_{x \to +0} g(x) = -\infty,$$

$$\lim_{x \to \infty} g(x) = \infty$$

なので、増減表とグラフは以下のようになる。

| $x$ | $(-\infty)$ | $\cdots$ | $-1$ | $\cdots$ | $0$ | | $\cdots$ | $(+\infty)$ |
|---|---|---|---|---|---|---|---|---|
| $g'(x)$ | ✕ | $-$ | $0$ | $+$ | ✕ | | $+$ | ✕ |
| $g(x)$ | $(+\infty)$ | ↘ | $4$ | ↗ | $(+\infty)$ | $(-\infty)$ | ↗ | $(+\infty)$ |

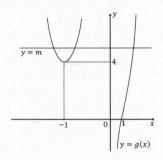

グラフより、求める $m$ の範囲は、$m > 4$

*Point*

この問題は文理共通の問題として出題されました。ただし、文系では（1）で $f(x)$ の増減表とグラフを描く出題となります。分数関数の微分は「数学Ⅲ」で学習するため、文系数学の範囲外なのです。

## 問題 41

$a$ は 0 でない実数とする。

関数 $f(x) = (3x^2 - 4)\left(x - a + \dfrac{1}{a}\right)$

の極大値と極小値の差が最小となる $a$ の値を求めよ。

（東京大学 1998 年）

$$f'(x) = 6x\left(x - a + \dfrac{1}{a}\right) + (3x^2 - 4)$$

$$= 9x^2 - 6\left(a - \dfrac{1}{a}\right)x - 4$$

2 次方程式 $f'(x) = 0$ の判別式を $D$ とすると、

$$\dfrac{D}{4} = \left\{3\left(a - \dfrac{1}{a}\right)\right\}^2 + 36 > 0 \quad なので、$$

$f(x)$ は極大値・極小値をもつ。

$f'(x) = 0$ の 2 つの実数解を $\alpha, \beta\,(\alpha < \beta)$ とおくと、

極大値と極小値の差は、

$$f(\alpha) - f(\beta) = \int_\beta^\alpha f'(x)dx$$

$$= \int_\beta^\alpha 9(x - \alpha)(x - \beta)dx$$

$$= -9\int_\alpha^\beta (x - \alpha)(x - \beta)dx$$

$$= -9\cdot\left(-\dfrac{1}{6}\right)(\beta - \alpha)^3 = \dfrac{3}{2}(\beta - \alpha)^3 \cdots ①$$

※ $\displaystyle\int_\alpha^\beta (x - \alpha)(x - \beta)dx = -\dfrac{1}{6}(\beta - \alpha)^3$ を利用してい
ます。

解と係数の関係から

$$\alpha + \beta = \frac{2}{3}\left(a - \frac{1}{a}\right), \ \alpha\beta = -\frac{4}{9}$$

$$\therefore (\beta - \alpha)^2 = (\alpha + \beta)^2 - 4\alpha\beta$$

$$= \frac{4}{9}\left\{\left(a - \frac{1}{a}\right)^2 + 4\right\}$$

これと ① とから、

$$f(\alpha) - f(\beta) = \frac{3}{2} \cdot \left[\frac{4}{9}\left\{\left(a - \frac{1}{a}\right)^2 + 4\right\}\right]^{\frac{3}{2}} \geqq \frac{32}{9}$$

ここで、等号は $a - \dfrac{1}{a} = 0$ すなわち、$a = \pm 1$ のときに成り立つ。

よって、$f(\alpha) - f(\beta)$ は、$a = \pm 1$ のとき最小値をとる。

したがって求める $a$ の値は $a = \pm 1$

*Point*

この問題の最大のポイントは極大値と極小値の差が積分を用いて求められるということです。

> ## 問題 42
>
> $x$ についての 3 次方程式
> $$2x^3 - 3(a+b)x^2 + 6abx - 2a^2b = 0$$
> が 3 つの相異なる実数解をもつとする。このとき点 $(a, b)$ の存在する範囲を求め、それを図示せよ。
>
> (東北大学　1992 年)

$f(x) = 2x^3 - 3(a+b)x^2 + 6abx - 2a^2b$ とする。

$f'(x) = 6x^2 - 6(a+b)x + 6ab = 6(x-a)(x-b)$

$a = b$ のときは $y = f(x)$ は単調増加なので、$f(x) = 0$ の実数解は 1 つのみ。

$a \neq b$ のときは $f(x)$ は極大値・極小値をもつので、$f(x) = 0$ が相異なる 3 つの実数解をもつ条件は、

$a \neq b$ かつ $f(a)f(b) < 0$

$$\begin{aligned}
f(a)f(b) &= \{2a^3 - 3(a+b)a^2 + 6a^2b - 2a^2b\} \\
&\quad \times \{2b^3 - 3(a+b)b^2 + 6ab^2 - 2a^2b\} \\
&= \{-a^2(a-b)\}\{-b(b-a)(b-2a)\} \\
&= a^2(a-b)^2 b(2a-b) < 0
\end{aligned}$$

よって、求める範囲は、

$a \neq b$ かつ $a^2(a-b)^2 b(2a-b) < 0$

$\Leftrightarrow \quad a^2 b(2a-b) < 0$

$\Leftrightarrow \quad b(2a-b) < 0$

$\Leftrightarrow \quad (b > 0$ かつ $2a-b < 0)$ または
$\qquad (b < 0$ かつ $2a-b > 0)$

$\Leftrightarrow \quad (b > 0$ かつ $b > 2a)$ または $(b < 0$ かつ $b < 2a)$

以上より求める範囲は、図のグレーの部分 (境界線は除く)。

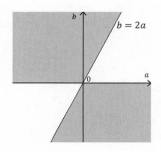

*Point*

　3 次方程式 $f(x) = 0$ が相異なる 3 つの実数解をもつことは、「$a \neq b$ かつ $f(a)f(b) < 0$（$a$, $b$ は 3 次関数 $f(x)$ が極値をとるような $x$ の値）」であることと同値です。しかし、後者について、「かつ」「または」といった論理関係を正しく理解してほぐしていく作業が大事になってきます。

---

問題 43

　曲線 $y = x^2(x+1)$ と直線 $y = k^2(x+1)$ $(0 \leqq k \leqq 1)$ とで囲まれる部分の面積が最小となるように $k$ の値を定めよ。

（名古屋大学　1975 年）

---

　まず、$y = x^2(x+1)$ と $y = k^2(x+1)$ を連立させて交点を求めると、

$$x^2(x+1) = k^2(x+1)$$
$$(x^2 - k^2)(x+1) = (x+k)(x-k)(x+1) = 0$$

交点の $x$ 座標は、$-1$, $-k$, $k$ でグラフは図のようになる。

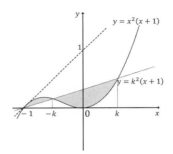

$$f(x) = x^2(x+1) - k^2(x+1)$$

とすると、囲まれた面積は、

$$\int_{-1}^{-k} f(x)dx + \int_{-k}^{k} \{-f(x)\}dx$$

$\int f(x)dx = F(x)$ とおくと、面積の関数は、

$$S(k) = F(-k) - F(-1) - F(k) + F(-k)$$
$$= 2F(-k) - F(k) - F(-1) \ (0 \leq k \leq 1)$$

$F(x) = \dfrac{x^4}{4} + \dfrac{x^3}{3} - \dfrac{k^2}{2}x^2 - k^2 x$ なので

$$S(k) = 2\left( \frac{k^4}{4} - \frac{k^3}{3} - \frac{k^4}{2} + k^3 \right)$$
$$- \left( \frac{k^4}{4} + \frac{k^3}{3} - \frac{k^4}{2} - k^3 \right)$$
$$- \left( \frac{1}{4} - \frac{1}{3} - \frac{k^2}{2} + k^2 \right)$$
$$= -\frac{k^4}{4} + 2k^3 - \frac{k^2}{2} + \frac{1}{12} \ (0 \leq k \leq 1)$$

$S(k)$ の最小値を与える $k$ を求めればよいので、

$$S'(k) = -k^3 + 6k^2 - k = -k(k^2 - 6k + 1) \ (0 \leqq k \leqq 1)$$

$S'(k) = 0$ を解くと

$k = 0$ または $k = 3 \pm 2\sqrt{2}$

$0 < k < 1$ より、$k = 3 - 2\sqrt{2}$

| $k$ | $0$ | $\cdots$ | $3 - 2\sqrt{2}$ | $\cdots$ | $1$ |
|:---:|:---:|:---:|:---:|:---:|:---:|
| $S'(k)$ | | $-$ | $0$ | $+$ | |
| $S(k)$ | | ↘ | 最 小 | ↗ | |

$S(k)$ の増減表は上のようになるので、最小値を与える $k$ は $k = 3 - 2\sqrt{2}$ である。

*Point*

曲線 $y = x^2(x + 1)$ と直線 $y = k^2(x + 1) \ (0 \leqq k \leqq 1)$ とで囲まれる部分の面積を求める際、真ん中の交点で上下関係が入れ替わるので、ちゃんと上から下を引いて符号を間違えないようにしましょう。

---

問題 44

曲線 $y = x^3$ と曲線 $y = x^2 + x + c$ との両方に接する直線が 4 本あるような $c$ の範囲を求めよ。

(一橋大学　1994 年)

---

曲線 $y = x^3$ 上の $(t,\ t^3)$ における接線の方程式は、

$y' = 3x^2$ なので、$y = 3t^2(x - t) + t^3 = 3t^2 x - 2t^3$

これが、曲線 $y = x^2 + x + c$ に接するのは、

$$x^2 + x + c = 3t^2 x - 2t^3$$

$\Leftrightarrow x^2 - (3t^2 - 1)x + 2t^3 + c = 0 \cdots$ ①

が重解をもつときだから、$x$ の2次方程式 ① の判別式を $D$ とすると、

判別式 $D = (3t^2 - 1)^2 - 4(2t^3 + c) = 0$

$\therefore 9t^4 - 8t^3 - 6t^2 + 1 = 4c$

$f(t) = 9t^4 - 8t^3 - 6t^2 + 1$ とおくと、

$f'(t) = 36t^3 - 24t^2 - 12t = 12t(3t^2 - 2t - 1)$

$= 12t(3t + 1)(t - 1)$

| $t$ | $\cdots$ | $-\dfrac{1}{3}$ | $\cdots$ | $0$ | $\cdots$ | $1$ | $\cdots$ |
|---|---|---|---|---|---|---|---|
| $f'(t)$ | $-$ | $0$ | $+$ | $0$ | $-$ | $0$ | $+$ |
| $f(t)$ | $\searrow$ | $\dfrac{20}{27}$ | $\nearrow$ | $1$ | $\searrow$ | $-4$ | $\nearrow$ |

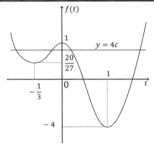

グラフより、両方に接する直線が4本ある。すなわち、

$y = f(t)$ と $y = 4c$ の交点が4つあるのは、

$\dfrac{20}{27} < 4c < 1$

$\therefore \dfrac{5}{27} < c < \dfrac{1}{4}$

*Point*

手書きのラフなグラフだと、$y = x^3$ と $y = x^2 + x + c$ の両方に接する直線が 4 本引ける範囲を想像するのは難しいでしょう。この問題は、最後まで計算で求めていくほうがおすすめです。

---

**問題 45**

$a$ を定数とし、$f(x) = x^3 - 3ax^2 + a$ とする。

$x \leq 2$ の範囲で $f(x)$ の最大値が 105 となるような $a$ をすべて求めよ。

(一橋大学　2007 年)

---

$f(x) = x^3 - 3ax^2 + a$ を微分する。

$\quad f'(x) = 3x^2 - 6ax = 3x(x - 2a)$

$x \leq 2$ の範囲での $f(x)$ の最大値を $M$ とする。

i) $a = 0$ のとき、$f(x) = x^3$ で単調増加なので、

$M = f(2) = 8$ となり不適。

ii) $a < 0$ のとき、極大値 $f(2a) = -4a^3 + a$

$f(x) = f(2a)(x \neq 2a)$ となる $a$ を求めると、

$\quad x^3 - 3ax^2 + a = -4a^3 + a$

$\quad x^3 - 3ax^2 + 4a^3 = 0$

$\quad (x - 2a)^2(x + a) = 0 \quad \therefore x = -a$

$2 < -a$ すなわち、$a < -2$ のとき、

$f(2a) > f(2)$ なので、$M = f(2a) = -4a^3 + a$

$-4a^3 + a = 105$ を満たす $a$ は、

$(a + 3)(4a^2 - 12a + 35) = 0$

$4a^2 - 12a + 35 = 0$ は実数解をもたないので、

$a = -3$（$a < -2$ を満たす）

$0 < -a \leqq 2$ すなわち、$-2 \leqq a < 0$ のとき

$f(2a) \leqq f(2)$ なので、$M = f(2) = -11a + 8 = 105$

$a = -\dfrac{97}{11}$ これは $-2 \leqq a < 0$ を満たさない。

iii) $a > 0$ のとき

極大値 $f(0) = a$

$f(x) = f(0)$ $(x \neq 0)$ となる $x$ を求めると、

$\quad x^3 - 3ax^2 + a = a,\ x^2(x - 3a) = 0$

$\quad x = 3a$

$0 < 3a < 2$ すなわち $0 < a < \dfrac{2}{3}$ のとき

$f(0) < f(2)$ なので、

$\quad M = f(2) = -11a + 8 = 105$

$a = -\dfrac{97}{11} < 0$ なので不適。

$2 \leqq 3a$ すなわち $a \geqq \dfrac{2}{3}$ のとき、$f(0) \geqq f(2)$

$M = f(0) = a = 105$ $\left(a \geqq \dfrac{2}{3}$ を満たす$\right)$

以上より、$a = -3,\ 105$

*Point*

$a < 0$ において、極大値 $f(2a) = -4a^3 + a$, $f(x) = f(2a)$ $(x \neq 2a)$ となる $a$ を求めるとき、

$\quad x^3 - 3ax^2 + a = -4a^3 + a \Leftrightarrow x^3 - 3ax^2 + 4a^3 = 0$

この 3 次方程式が $x = 2a$ という重解をもつ、すなわちこ

の 3 次方程式の左辺が $(x-2a)^2$ を因数にもつことが必然であるということを認識できれば、スムーズに因数分解できます。

---

**問題 46**

(1) $x$ についての方程式
$x(x-3)(x+3)+3k(x-1)(x+1)=0 \ (k>0)$ は、3 実根をもつことを証明せよ。

(2) 上の方程式の正の根はただ 1 つで、1 と $1+\dfrac{2}{k}$ との間にあることを証明せよ。

(京都大学　1967 年)

---

(1) 「定数は分離せよ」という定石通りに解いていくなら、$x=\pm 1$ が与えられた方程式の解ではないことから、

$$3k = \frac{-x(x-3)(x+3)}{(x-1)(x+1)} \quad (x \neq \pm 1)$$

として、右辺を $g(x)$ としてグラフを描けば証明できます。

実際に行ってみると、

$$g'(x) = \frac{-(x^2+3)^2}{(x^2-1)^2}$$

ので、$g(x)$ のグラフは図のようになり、3 つの実根をもつことは示せます。

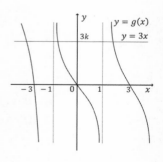

しかし、せっかく与式が、

$$x(x - 3)(x + 3) + 3k(x - 1)(x + 1) = 0 \quad (k > 0)$$

というわざとらしい格好をしているので、それにのって解いてみるといいでしょう。

すなわち、

$$f(x) = x(x - 3)(x + 3) + 3k(x - 1)(x + 1) \quad (k > 0)$$

とすれば、$f(x)$ は、3次の係数が $1(> 0)$ の3次関数なので、

$x \to -\infty$ なら $f(x) \to -\infty$、$x \to \infty$ なら $f(x) \to \infty$、

$f(-3) = 24k > 0$, $f(-1) = 8 > 0$,

$f(0) = -3k < 0$, $f(1) = -8 < 0$,

$f(3) = 24k > 0$

なので、$y = f(x)$ のグラフの概形は以下の図のようになる。

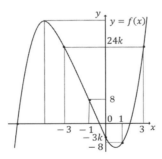

グラフより、$f(x) = 0$ は相違3実根をもつ。

(2) いずれの方法でも正の実数解が1つであることはグラフよりあきらかです。それが $1$ と $1 + \dfrac{2}{k}$ の間にあることの

証明は後者の解法を用いて、

$$f(1) = -8 < 0$$

$$\frac{2}{k} = t \text{ とおくと、} t > 0, \ k = \frac{2}{t}$$

$$f\left(1 + \frac{2}{k}\right) = f(1 + t)$$

$$= (t + 1)(t - 2)(t + 4) + \frac{6}{t} \cdot t(t + 2)$$

$$= t^3 + 3t^2 + 4 > 0$$

$$f(1) < 0, \ f\left(1 + \frac{2}{k}\right) > 0 \text{ なので、}$$

正の根は、$1$ と $1 + \dfrac{2}{k}$ の間にある。

*Point*

$$f'(x) = 3x^2 + 6kx - 9 = 3(x^2 + 2kx - 3)$$

$$= 3\left(x + k + \sqrt{k^2 + 3}\right)\left(x + k - \sqrt{k^2 + 3}\right)$$

$$(k > 0)$$

であり、

$$f(-k - \sqrt{k^2 + 3}) > 0 \text{ かつ } f(-k + \sqrt{k^2 + 3}) < 0$$

を示してもよいのですが、$y = f(x)$ のグラフが $x$ 軸と異なる 3 点で交わること、とくに $x > 1$ では 1 点で交わることがわかれば十分なので、それがわかる程度の大雑把なグラフの概形を描けばよいのです。

### 問題 47

　曲線 $y = e^x$ に点 $(a, b)$ から引きうる接線の個数を求めよ。

（東京工業大学　　1980 年）

　$y = e^x$ 上の点 $(t, e^t)$ における接線の方程式は、$y' = e^x$ なので、

$$y = e^t(x - t) + e^t$$

　これが $(a, b)$ を通るとすると、$b = e^t(a - t) + e^t$

$$y = f(t) = e^t(a - t) + e^t$$
$$y = b$$

として、$y = f(t)$ のグラフを描いて、$y = f(t)$ と $y = b$ の交点の個数が引ける接線の数。

$$f(t) = e^t(-t + a + 1)$$
$$f'(t) = e^t(-t + a + 1) - e^t = e^t(-t + a)$$

　$f'(t) = 0$ となるのは、$t = a$ のみ。

　$\lim_{t \to -\infty} f(t)$ と $\lim_{t \to \infty} f(t)$ の値を検討する。

　$t = -s$ とすると、

$$\lim_{t \to -\infty} f(t) = \lim_{s \to \infty} f(s) = \lim_{s \to \infty} e^{-s}(s + a + 1)$$
$$= \lim_{s \to \infty} \frac{s + a + 1}{e^s} = 0$$
$$\lim_{t \to \infty} f(t) = \lim_{t \to \infty} e^t(-t + a + 1)$$
$$= \infty \times (-\infty) = -\infty$$

したがって、増減表は図のようになる。

| $t$ | $(-\infty)$ | $\cdots$ | $a$ | $\cdots$ | $(\infty)$ |
|---|---|---|---|---|---|
| $f'(t)$ | ✕ | $+$ | $0$ | $-$ | ✕ |
| $f(t)$ | $(-b)$ | ↗ | $e^a - b$ | ↘ | $(-\infty)$ |

$b \leqq 0$ のとき 1 個、$0 < b < e^a$ のとき 2 個、
$b = e^a$ のとき 1 個、$b > e^a$ のとき 0 個。

*Point*
$\langle \displaystyle\lim_{s \to \infty} \dfrac{s}{e^s} = 0$ の証明〉

$y = x$ と $y = e^x$ では $x \to \infty$ のときの発散のスピード
が違うので、$\displaystyle\lim_{s \to \infty} \dfrac{s}{e^s} = 0$ は自明としてもかまわないと思
いますが、せっかくですので証明しておきます。

$f(x) = e^x - \dfrac{1}{2}x^2$ としたとき、

$x > 0$ において常に $f(x) > 0$ が示せれば、$e^x > \dfrac{1}{2}x^2$
であり、

$0 < \dfrac{x}{e^x} < \dfrac{x}{\frac{1}{2}x^2} = \dfrac{2}{x}$ となり、

$\displaystyle\lim_{x \to \infty} \dfrac{2}{x} = 0$ なので、はさみうちの定理から、

$\displaystyle\lim_{x \to \infty} \dfrac{x}{e^x} = 0$ となる。

$f(x) = e^x - \dfrac{1}{2}x^2, \quad f'(x) = e^x - x$

$y = e^x$ と $y = x$ のグラフより、$e^x > x$

よって、$f'(x) > 0$ なので
$f(x)$ は単調増加で $f(0) = 1 > 0$

$$\therefore f(x) = e^x - \frac{1}{2}x^2 > 0$$
$(x > 0)$

$$\therefore e^x > \frac{1}{2}x^2$$

$$0 < \frac{x}{e^x} < \frac{x}{\frac{1}{2}x^2} = \frac{2}{x}$$

となり、$\displaystyle \lim_{x \to \infty} \frac{2}{x} = 0$

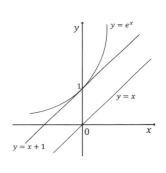

---

**問題 48**

(1)　関数 $f(x) = \dfrac{\log x}{x}$ $(x > 0)$ の増減を調べよ。

(2)　$e^\pi$ と $\pi^e$ の大小を比較せよ。

(筑波大学　2000 年)

---

(1)　$f(x) = \dfrac{\log x}{x}(x > 0)$ より、

$$\lim_{x \to +0} f(x) = \lim_{x \to +0} \frac{1}{x} \cdot \log x = -\infty \ \ であって、$$

$$f'(x) = \frac{1 - \log x}{x^2} \ \ なので、f(x) \ の増減表は下の通り。$$

| $x$ | $(0)$ | $\cdots$ | $e$ | $\cdots$ | $(+\infty)$ |
|:---:|:---:|:---:|:---:|:---:|:---:|
| $f'(x)$ | ✕ | $+$ | $0$ | $-$ | ✕ |
| $f(x)$ | $(-\infty)$ | ↗ | $\dfrac{1}{e}$ | ↘ | $(0)$ |

(2)  $2 < e < 3 < \pi$ と (1) より、

$$f(e) > f(\pi) \iff \frac{\log e}{e} > \frac{\log \pi}{\pi}$$

この両辺に $e\pi$ をかけると

$$\pi \log e > e \log \pi \iff \log e^{\pi} > \log \pi^{e} \iff e^{\pi} > \pi^{e}$$

*Point*

とてもユニークな問題です。ここでは類題を、もう二問紹介します。

① $99^{100}$ と $100^{99}$ の大小を比較せよ。

（名古屋市立大学　2008 年）

② $m^n = n^m$ を満たす自然数 $m, n$ $(m < n)$ を求めよ。

（金沢大学　2009 年）

① は、$e < 99 < 100$ なので、$99^{100} > 100^{99}$

② $(m, n) = (2, 4)$ が解であることはすぐにわかり、それ以外の解がないことを示せばよい。

$m^n = n^m$ の両辺の自然対数を取ると、$n \log m = m \log n$

両辺を $mn$ で割ると、$\dfrac{\log m}{m} = \dfrac{\log n}{n}$

$f(x) = \dfrac{\log x}{x}$ とすると、$f(m) = f(n)$

$f(x)$ の増減表より、$m < e$ なので、$m$ の候補は 1 か 2 だけ。$m = 1$ は $f(1) = 0$ となり不適で、$m = 2$ は $(m, n) = (2, 4)$ で条件を満たす。

# 第7章　整数2

　整数問題では、$N$ 進法の知識や微分・積分で登場する判別式など、さまざまな分野の知識を必要とするものもあります。そこで、それらの分野を横断するおもしろい問題を「整数2」として紹介します。また、第1章の「整数1」よりも深い思考を要求される問題も、ここにまとめました。

　整数問題の腕試しに挑戦してください！

---

**問題 49**

　$m$ を自然数とする。$2^m!$ が $2^n$ で割り切れる自然数 $n$ の最大値を $N(m)$ とおくとき、次の問いに答えよ。

(1)　省略

(2)　$N(m)$ を $m$ の式で表せ。

(3)　$N(m)$ が素数ならば、$m$ も素数であることを証明せよ。

（島根大学　2011 年）

---

　一般的に $p$ を素数としたとき、$M! = p^m a$（$a$ は $p$ と互いに素な正の整数）とした場合、$m$ の値は、1 から $M$ までの自然数の中に $p, p^2, p^3, \cdots$ の倍数が何個あるかを数えればよい。

すなわち、$\left[\dfrac{\mathrm{M}}{p}\right]+\left[\dfrac{\mathrm{M}}{p^2}\right]+\left[\dfrac{\mathrm{M}}{p^3}\right]+\cdots+\displaystyle\sum_{k=1}^{[\log pM]}\left[\dfrac{M}{p^k}\right]$

（有限和。ここで $\lfloor X \rfloor$ とは $X$ を超えない最大の整数を あらわす記号）と表される。

この問題の場合は、M が $p^m$ なので $\dfrac{p^m}{p^m}=1$ と最後ま で割り切れる。

(2) 上に紹介したことを用い、この問題は以下のように表 すことができます。

$$
\begin{aligned}
N(m) &= \frac{2^m}{2}+\frac{2^m}{2^2}+\frac{2^m}{2^3}+\cdots\cdots+\frac{2^m}{2^m} \\
&= 2^{m-1}+2^{m-2}+2^{m-3}+\cdots\cdots+1 \\
&= 1+2+2^2+\cdots+2^{m-1} \\
&= \frac{1\cdot(2^m-1)}{2-1} \\
&= 2^m-1
\end{aligned}
$$

(3) (2) より $N(m)=2^m-1$

$N(m)$ が素数ならば、$m$ は素数でない、すなわち合成数 であると仮定すると、$m=ab$（$a,b$ はある 2 以上の自然数） とあらわすことができる。

$$
\begin{aligned}
2^m-1=2^{ab}-1&=(2^a)^b-1 \\
&=(2^a-1)\{(2^a)^{b-1}+(2^a)^{b-2}+\cdots+1\}
\end{aligned}
$$

$a\geqq 2, b\geqq 2$ より、$2^a-1$ も $(2^a)^{b-1}+(2^a)^{b-2}+\cdots+1$ も 2 以上であり、$2^m-1$ が素数であることに矛盾する。し たがって、$2^m-1$ が素数ならば $m$ も素数である。

*Point*

　$2^m - 1$ によって作ることができる素数を「メルセンヌ素数」といいます。現時点で人類が発見した素数で最大のものは 51 番目に発見されたメルセンヌ素数で $2^{82589933} - 1$。これは 2486 万 2048 桁の数です。さらに、$2^{m-1}(2^m - 1)$ によって作られる自然数は、自分自身以外の約数の総和が元の数と同じになり、これは「完全数」とよばれます。実は、偶数の完全数はこの形しかないことが証明されています。また、奇数の完全数はいまだに発見されていない未解決問題なのです。メルセンヌ素数、完全数という数のおもしろさを取り込んだ出題です。

---

**問題 50**

　自然数 $x, y$ を用いて $p^2 = x^3 + y^3$ と表せるような素数 $p$ をすべて求めよ。また、このときの $x, y$ をすべて求めよ。

（千葉大学　2001 年）

---

　まず、与式が因数分解できるなら真っ先にしましょう。
$$p^2 = (x + y)(x^2 - xy + y^2)$$
　ここで、$p$ は素数で、$x, y$ は自然数なので、$x + y \geqq 2$ であることを考慮すれば、
$$x + y = p \text{ かつ } x^2 - xy + y^2 = p \cdots ①$$
$$x + y = p^2 \text{ かつ } x^2 - xy + y^2 = 1 \cdots ②$$
という 2 通りのみの式が得られる。
　① の場合

2 式を連立させて $x$ の 2 次方程式として整理すると、

$x^2 - x(y + 1) + y^2 - y = 0 \cdots$ ③

$x$ は自然数なので、とりあえず $x$ の 2 次方程式 ③ の判別式を $D_1$ とすると、$D_1 \geqq 0$ が必要条件。

$D_1 = (y + 1)^2 - 4(y^2 - y) = -3y^2 + 6y + 1 \geqq 0$

$3y^2 - 6y - 1 \leqq 0$

$3(y - 1)^2 - 4 \leqq 0$

$|y - 1| \geqq 2$ だと成立しないので、$y = 1, 2$ が必要。

$y = 1$ のとき ③ に代入すると、

$x^2 - 2x = 0$　$x = 0, 2$　$x$ は自然数より $x = 2$

$y = 2$ のとき ③ に代入すると、$x^2 - 3x + 2 = 0$

$x = 1, 2$

以上より、$(x, y) = (1, 2), (2, 1), (2, 2)$ が必要でそれぞれの場合において、$p = 3, 3, 4$ となり $p$ は素数なので、$p = 3$ である。

よって、$(x, y) = (1, 2), (2, 1)$

次に、② の場合

$x^2 - xy + y^2 = 1 \Leftrightarrow x^2 - xy + y^2 - 1 = 0 \cdots$ ④

より、④ を $x$ の 2 次方程式とみなしたときに実数解をもつ必要から、

$x$ の 2 次方程式 ④ の判別式を $D_2$ とすると、

$D_2 = y^2 - 4(y^2 - 1) = -3y^2 + 4 \geqq 0$

$y^2 \leqq \dfrac{4}{3}$ より、これを満たす自然数 $y$ は 1 のみ。

$y = 1$ を ④ に代入すると $x^2 - x = 0$ となり、

$x$ も自然数なので、$(x, y) = (1, 1)$

このとき、$2 = p^2$ となりこれを満たす $p$ はない。

以上より

$$(x, y) = (1, 2), (2, 1)$$

*Point*

整数問題の定石通り、まず因数分解をして候補を絞り込み、漏れのないように論証していく問題です。基本的ではありますが、たんなる暗記では手こずることになる名問です。

---

**問題51**

正の整数の下2桁とは、100の位以上を無視した数をいう。たとえば 2000, 12345 の下2桁はそれぞれ 0, 45 である。$m$ が正の整数全体を動くとき、$5m^4$ の下2桁として現れる数をすべて求めよ。

(東京大学　2007年)

---

まず、問題文の「下2桁の数」とは、100で割った余りだと言い換えることができるので、

$m = 100M + N$ ($M$ は 0 以上の整数)、

$N$ は求めたい数と表すことができます。

さらに、$N$ を $N = 10a + b$ ($a, b$ は 0 から 9 までの整数)とすると、

$$5m^4 = 5(100M + N)^4 \equiv 5N^4$$
$$= 5(10a + b)^4 \pmod{100}$$

となり、

$$5(10a + b)^4 = 5(10a)^4 + 20(10a)^3 b + 30(10a)^2 b^2$$
$$+ 20(10a)b^3 + 5b^4 \equiv 5b^4 \pmod{100}$$

このbに0から9までを代入し、その結果の下2桁を求めると、00, 05, 25, 80となります。

*Point*

一見難解な問いに思えますが、与えられた条件を簡潔に表すことができればシンプルに解くことができる良問です。$m$はすべての正の整数ですが、modを使うことによって、0から9までの10種類に、さらに4乗という偶数乗なので、$0, \pm1, \pm2, \pm3, \pm4, 5$という6種類にまで絞り込むことができます。

---

**問題 52**

$x, y, z, n$ は自然数で、$x^2 = 7^{2n}(y^2 + 10z^2)$ が成り立っている。

(1)　平方数を3で割った余りは0か1であることを示せ。

(2)　$yz$ は3の倍数であることを示せ。

(3)　$y, z$ が共に素数のとき $x$ を $n$ を用いて表せ。

（千葉大学　2003年）

---

(1)　この問題では、割った余りを聞かれています。これは合同式の本質ですので、合同式を使って解いてみましょう。

まず3で割っているので mod 3 で考えます。

　　3で割り切れる場合、合同式の性質より　　$0^2 \equiv 0$

　　3で割って1余る場合、$1^2 \equiv 1$

　　3で割って2余る場合、$2^2 = 4 \equiv 1$

となり、平方数を 3 で割った余りは、0 か 1 となる。

(2)　$yz$ が 3 の倍数であるということは $y$ と $z$ のうち少なくとも一方は 3 の倍数であるということです。そこで、少なくとも一方が 3 の倍数であることを示すには、両方ともが 3 の倍数ではないことを否定すればいいと方針を立てます。

(1) より、平方数を 3 で割った余りは 0 か 1 なので、$y$, $z$ ともに 3 の倍数でないとき、

　　　$\mathrm{mod}\ 3$ で、$1^{2n}(1 + 10 \times 1) = 11 \equiv 2$

　　　$x$ も自然数なので $x^2 \equiv 2$ となることはない。

したがって、$y$, $z$ ともに 3 の倍数でないということが否定されたので、$y$, $z$ の少なくとも一方は 3 の倍数である。

以上より、$yz$ は 3 の倍数となる。

(3)　$y$, $z$ がともに素数の場合、(2) より少なくとも一方は 3 である。

そこで、ためしに $y = 3$ のときを考えます。

　　　$x^2 = 7^{2n}(3^2 + 10z^2)$

左辺が平方数で $7^{2n}$ も平方数なので、$3^2 + 10z^2$ も平方数だといえる。

　　　$3^2 + 10z^2 = k^2$　（$k$ は自然数）

　　　$k^2 - 3^2 = 10z^2$

　　　$(k + 3)(k - 3) = 10z^2$

　　　$k + 3 = a$ とし、$k - 3 = b$ とすると、

　　　$2k = a + b$　（$ab = 10z^2$）

したがって、$a$ と $b$ の偶奇は一致することがわかる。

$z$ が 2 以外の素数の場合は $a$ と $b$ は一方が偶数で一方が

奇数となってしまうので、$z = 2$

このことから、

$$x^2 = 7^{2n} \ (3^2 + 10 \cdot 2^2)$$
$$= 7^{2n} \cdot 7^2 = 7^{2n+2} = 7^{2(n+1)}$$
$$\therefore x = 7^{n+1}$$

次に $z = 3$ のとき

$$x^2 = 7^{2n}(y^2 + 10 \cdot 3^2) = 7^{2n}(y^2 + 90)$$

ここで、平方数は $\bmod 4$ の場合 $0$ か $1$ ($0^2 \equiv 0$, $(\pm 1)^2 \equiv 1$, $2^2 = 4 \equiv 0$) となるので、

右辺 $\equiv (-1)^{2n}(0+2) \equiv 2$　または　$(-1)^{2n}(1+2) \equiv 3$
となりいずれも矛盾する。

したがって、$z \neq 3$

以上より、$y = 7$, $z = 2$ なので、$x^2 = 7^{2n+2}$ となり、
$x = 7^{n+1}$

*Point*

mod と平方数の相性のよさをいかした問題です。(3) は、(2) を利用して $y$, $z$ の少なくとも一方は $3$ であると特定できることに着目できるかがポイントです。

**問題53**

(1)   $n$ が正の偶数のとき、$2^n - 1$ は 3 の倍数であることを示せ。

(2)   $n$ を自然数とする。$2^n + 1$ と $2^n - 1$ は互いに素であることを示せ。

(3)   $p, q$ を異なる素数とする。$2^{p-1} - 1 = pq^2$ を満たす $p, q$ の組をすべて求めよ。

(九州大学   2015 年)

(1)   合同式では、$2 \equiv -1 \pmod 3$ となります。($1 \times 3 + 2 = 2 \times 3 - 1$)

ここで、$2^n - 1$ は合同式の性質から、mod 3 のとき、

$2^n - 1 \equiv (-1)^n - 1$ となり、

これは $(-1)^n - 1 \equiv 1 - 1 \equiv 0$ ($n$ は正の偶数) となります。

よって、$n$ が正の偶数のとき、$2^n - 1$ は 3 の倍数。

(2)   背理法で示します。

まず、$2^n + 1$ と $2^n - 1$ の最大公約数を $g$ とします。奇数の条件と (1) より、

$2^n + 1 > 2^n - 1$ であって、$2^n + 1$ と $2^n - 1$ は共に奇数なので、$g \geqq 3$ である。

ある互いに素な正の奇数 $a, b$ ($a > b$) を用いて、

$2^n + 1 = ga$        $2^n - 1 = gb$

左式から右式を引くと $2 = g(a - b)$、

$g \geqq 3$ かつ $a - b \geqq 2$ より、これを満たす自然数 $g, a, b$

は存在しない。

したがって、$2^n + 1$ と $2^n - 1$ は互いに素。


（3）　$p, q$ は共に素数という条件から、素数の中で $2$ のみが偶数なので、まず、$p, q$ がそれぞれ $2$ の場合を検討してみます。

$p = 2$ のとき

$$2^{p-1} - 1 = pq^2$$

$$1 = 2q^2$$

この等式はあきらかに成り立たない。

次に、$q = 2$ のとき

$$2^{p-1} - 1 = p \cdot 2^2$$

左辺が奇数で右辺が偶数となり、やはりこの等式も成り立たない。

以上より、$p$ も $q$ も $2$ ではない。

したがって $p$ は奇数なので $p - 1$ は偶数となる。

（1）より $2^{p-1} - 1$ は $3$ の倍数。$2^{p-1} - 1 = pq^2$ なので、$p, q$ のどちらかが $3$。

$p = 3$ のとき

$$2^{p-1} - 1 = pq^2 \quad \Rightarrow \quad 2^2 - 1 = 3q^2$$

$q^2 = 1$ となり不適。

よって、$q = 3$ である。

$$2^{p-1} - 1 = 9p$$

$p - 1 = 2m$ とする（$p - 1$ が偶数なので）。

$$2^{2m} - 1 = 9p \quad \Leftrightarrow \quad (2^m + 1)(2^m - 1) = 9p$$

$2^m + 1 = a, \ 2^m - 1 = b$ とすると $ab = 9p$

ここで、（2）より $2^m + 1$ と $2^m - 1$ は互いに素なので、

$$(2^m + 1, \ 2^m - 1) = (9, \ p), \ (p, \ 9)$$

$$\begin{cases} 2^m + 1 = 9 \\ 2^m - 1 = p \end{cases} \text{のとき } m = 3, \quad p = 7$$

$$\begin{cases} 2^m + 1 = p \\ 2^m - 1 = 9 \end{cases} \text{のとき、これを満たす } m \text{ はない。}$$

以上より、$(p, \ q) = (7, \ 3)$

*Point*

（2）の $2^n + 1$ と $2^n - 1$ は "隣同士の奇数" なので互いに素であることはほぼ自明です。ただし、自明であることを証明することは難しい場合が多いのですが、この問題では基本通りに 2 以上の最大公約数が存在すると仮定して矛盾を導くことができます。（3）は 2 が唯一の偶素数なので、3 が解でないことを証明できたら（1）（2）の誘導にそっていくだけです。力試しに、いきなり（3）に挑戦してみることもおすすめします。

## 問題 54

4 で割ると余りが 1 である自然数全体の集合を $A$ とする。すなわち、$A = \{4k+1 \mid k$ は 0 以上の整数 $\}$ とする。次の問いに答えよ。

(1) $x$ および $y$ が $A$ に属するならば、その積 $xy$ も $A$ に属することを証明せよ。

(2) 0 以上の偶数 $m$ に対して、$3^m$ は $A$ に属することを証明せよ。

(3) $m, n$ を 0 以上の整数とする。$m+n$ が偶数ならば $3^m 7^n$ は $A$ に属し、$m+n$ が奇数ならば $3^m 7^n$ は $A$ に属さないことを証明せよ。

(4) $m, n$ を 0 以上の整数とする。$3^{2m+1} 7^{2n+1}$ の正の約数のうち $A$ に属する数全体の和を $m$ と $n$ を用いて表せ。

(広島大学　2010 年)

4 で割ると 1 余るという条件が提示されているので、以下合同式においてすべて mod4 として考えていきます。

(1) $x, y$ が $A$ に属するということは、

$x \equiv 1,\ y \equiv 1$　　$\therefore xy \equiv 1 \times 1 = 1$

よって題意は示された。

(2) まず、$3 \equiv -1$ です。

次に、$m$ が 0 以上の偶数なので、$m = 2n$（$n$ は 0 以上の整数）とする。

$$3^m = 3^{2n} = (3^2)^n \equiv \{(-1)^2\}^n = 1^n = 1$$

よって題意は示された。

(3)  まず、$3 \equiv 7 \equiv -1$ なので、

$$3^m 7^n \equiv (-1)^m (-1)^n = (-1)^{m+n} \cdots \text{①}$$

次に、$m+n$ が偶数なら ① は 1 となり $A$ に属するが、奇数ならば ① は $-1 \equiv 3$ となり、4 で割った余りが 3 となり $A$ に属さない。

(4)  $3^{2m+1} 7^{2n+1}$ の正の約数は、$3^p 7^q$ （$p, q$ は整数、

$0 \leq p \leq 2m+1, 0 \leq q \leq 2n+1$）と表すことができる。

このうち $A$ に属するのは (2) より $p, q$ の偶奇が一致するものである。

このそれぞれの和は、まず、$p, q$ が偶数の場合について見ると、

$$(3^0 + 3^2 + 3^4 + \cdots + 3^{2m})(7^0 + 7^2 + 7^4 + \cdots + 7^{2n})$$

$$= \frac{9^{m+1} - 1}{8} \cdot \frac{49^{n+1} - 1}{48}$$

次に、$p, q$ が奇数の場合について見ると、

$$(3^1 + 3^3 + 3^5 + \cdots + 3^{2m+1})(7^1 + 7^3 + 7^5 + \cdots + 7^{2n+1})$$

$$3(3^0 + 3^2 + 3^4 + \cdots + 3^{2m}) \cdot 7(7^0 + 7^2 + 7^4 + \cdots + 7^{2n})$$

$$= 3 \cdot \frac{9^{m+1} - 1}{8} \cdot 7 \cdot \frac{49^{n+1} - 1}{48}$$

この和は、

$$\frac{9^{m+1} - 1}{8} \cdot \frac{49^{n+1} - 1}{48} + 3 \cdot \frac{9^{m+1} - 1}{8} \cdot 7 \cdot \frac{49^{n+1} - 1}{48}$$

$$= \frac{11(9^{m+1} - 1)(49^{n+1} - 1)}{192}$$

*Point*

等比数列の和は公式を忘れていても、

$$x^n - 1 = (x - 1)(x^{n-1} + x^{n-2} + x^{n-3} + \cdots + 1)$$

を利用することで、簡単に導くことができます。

まず、$S = a + ar + ar^2 + ar^3 + \cdots + ar^{n-1} \ (r \neq 1)$ の右辺を $a$ でくくり、反対に並べると、

$S = a(r^{n-1} + r^{n-2} + r^{n-3} + \cdots + 1)$ となります。この両辺に $(r - 1)$ をかけると、$(r - 1)S = a(r - 1)(r^{n-1} + r^{n-2} + r^{n-3} + \cdots + 1) = a(r^n - 1)$ となり、この両辺を $r - 1$ で割ると、$S = \dfrac{a(r^n - 1)}{r - 1}$ となります。

---

**問題 55**

すべての正の整数 $n$ に対して $5^n + an + b$ が 16 の倍数となるような 16 以下の正の整数 $a, b$ を求めよ。

(一橋大学　1997 年)

---

手始めに、$n = 1, 2$ を代入すれば $a, b$ はすぐに求められます。

$n = 1$ のとき $5 + a + b = 16x \cdots$ ①　($x$ は正の整数)

$n = 2$ のとき $25 + 2a + b = 16y \cdots$ ②　($y$ は正の整数)

② $-$ ① より $20 + a = 16(y - x) \cdots$ ③

$1 \leqq a \leqq 16$ より $21 \leqq 20 + a \leqq 36$ となるが、③ より $20 + a$ が 16 の倍数となるのは、$20 + a = 32$ のと

き。よって $a = 12$

$a = 12$ を ① に代入して $17 + b = 16x$, $1 \leq b \leq 16$
より $18 \leq 17 + b \leq 33$ となるが、$17 + b$ が 16 の倍数
となるのは $17 + b = 32$ のとき。よって $b = 15$

しかし、ここで求めた $a, b$ は必要条件に過ぎず、やはり
すべての自然数において与式が 16 の倍数であることを示さ
なければなりません。

そこで、$5^n + 12n + 15$ が 16 の倍数となることを示す。

そのために、まず $5^n$ を二項展開します。

$$5^n = (4 + 1)^n$$
$$= 4^n + {}_n\mathrm{C}_1 4^{n-1} + {}_n\mathrm{C}_2 4^{n-2} + \cdots + {}_n\mathrm{C}_{n-2} 4^2$$
$$+ {}_n\mathrm{C}_{n-1} 4^1 + 1$$

ここで、二項展開したときの最後の 2 つの項以外はすべ
て 16 の倍数であることがわかるので、

$$\therefore 5^n \equiv {}_n\mathrm{C}_{n-1} 4^1 + 1 = 4n + 1 \ (\mathrm{mod} \ 16)$$
$$5^n + 12n + 15 \equiv 4n + 1 + 12n + 15$$
$$= 16n + 16 \equiv 0 \ (\mathrm{mod} \ 16)$$

したがって、すべての自然数で、$5^n + 12n + 15$ は 16 の
倍数である。

*Point*

二項展開は整数問題でよく登場します。二項展開を使う
問題では、最後の項が「余り」になっている形が多く出題さ
れますが、この問題では最後の 2 つの項が、16 を法として
0 と合同になるところが特徴的でおもしろい出題です。

## 問題 56

　2 つの整数の平方の和として表わされる数の全体を $M$ とよぶ。$M$ の中の任意の 2 数の積はやはり $M$ の中にはいっている。たとえば、$(1^2 + 4^2)(2^2 + 3^2) = 10^2 + 11^2$

(1)　上のことを一般に証明しなさい。

(2)　$(4^2 + 5^2)(3^2 + 7^2)$ を 2 つの整数の平方の和として表わしなさい。

（慶應義塾大学　1962 年）

(1)　$M$ の中の任意の 2 数を $x, y$ とすると、条件より、
$x = a^2 + b^2$,
$y = c^2 + d^2$　（$a, b, c, d$ はある整数）と表せる。

　この 2 つの積は、
$xy = (a^2 + b^2)(c^2 + d^2) = a^2 c^2 + a^2 d^2 + b^2 c^2 + b^2 d^2$
$= (ac + bd)^2 + (ad - bc)^2$　となり題意は示された。

(2)　(1) より、
$(a^2 + b^2)(c^2 + d^2) = (ac + bd)^2 + (ad - bc)^2$ なので、
$(4^2 + 5^2)(3^2 + 7^2) = (4 \cdot 3 + 5 \cdot 7)^2 + (4 \cdot 7 - 5 \cdot 3)^2 = 47^2 + 13^2$

*Point*

　これは複素数のかけ算の意味を考えたことがあればすぐにピンとくる問題です。複素数のかけ算では、$|$ 絶対値 $| \times |$ 絶対値 $|$ を計算し、偏角は足すということを示す式の途中にこの形が登場します。複素数を極座標形式で表すと、

$$a + bi = \sqrt{a^2 + b^2} \, (\cos \alpha + i \sin \alpha)$$

$$c + di = \sqrt{c^2 + d^2}\,(\cos\beta + i\sin\beta)$$

ここで、$(a + bi)(c + di) = (ac - bd) + (ad + bc)i$ を考えると、

$$
\begin{aligned}
&(ac - bd) + (ad + bc)i \\
&= \sqrt{(ac - bd)^2 + (ad + bc)^2}(\cos\gamma + i\sin\gamma) \\
&= \sqrt{(ac)^2 - 2abcd + (bd)^2 + (ad)^2 + 2abcd + (bc)^2} \\
&\quad \times (\cos\gamma + i\sin\gamma) \\
&= \sqrt{a^2c^2 + b^2d^2 + a^2d^2 + b^2c^2}(\cos\gamma + i\sin\gamma) \\
&= \sqrt{a^2(c^2 + d^2) + b^2(c^2 + d^2)}(\cos\gamma + i\sin\gamma) \\
&= \sqrt{(a^2 + b^2)(c^2 + d^2)}(\cos\gamma + i\sin\gamma)
\end{aligned}
$$

この式の途中に、

$$\sqrt{a^2 + b^2}\sqrt{c^2 + d^2} = \sqrt{(ac - bd)^2 + (ad + bc)^2}$$

が出てきていることがわかります。

---

## 問題 57

自然数 $n$ に対し、$f(n) = n^2(n^2 + 8)$ と定める。
次の問いに答えよ。

(1)　$f(4)$ の正の約数の個数を求めよ。

(2)　$f(n)$ は 3 の倍数であることを証明せよ。

(3)　$f(n)$ の相異なる素因数の個数が 2 個であり、かつ $f(n)$ の正の約数の個数が 10 個であるとする。$n$ をすべて求めよ。

（徳島大学　2019 年）

（1）　自然数 $n$ について、$n$ を素因数分解した形が、
$n = p^a q^b \cdots r^c$ と表せるとき、その約数の個数 $m$ は、
$m = (a+1)(b+1) \cdots (c+1)$ 個となります。

　　$f(4) = 16 \times (16+8) = 2^7 \times 3$　したがって、約数の個数は、$8 \times 2 = 16$ 個。


（2）　自然数 $n$ を 3 で割った余りで分類すると、$n = 3m$,
$3m \pm 1$ と表せる。これは自然数 $n$ の mod 3 を意味している。

　　さらに、$n^2$ の場合を考えると、$n^2 = (3m)^2 \equiv 0 \pmod 3$
　　$n^2 = (3m \pm 1)^2 \equiv 1 \pmod 3$ となる。

　　まず、$(3m)^2 \equiv 0$ のとき、

　　　$f(n) \equiv 0 \cdot (0+8) = 0 \pmod 3$

　　次に、$(3m \pm 1)^2 \equiv 1$ のとき、

　　　$f(n) \equiv 1 \cdot (1+8) = 9 \equiv 0 \pmod 3$

　　したがって、$f(n)$ は 3 の倍数である。


（3）　（1）に紹介した約数の個数の性質から、約数の個数が
10 個となるのは、$p, q$ を異なる素数とすると、$p^4 q$ か $p^9$ の
2 通りだといえる。

　　（2）より、$n^2$ と $n^2 + 8$ のどちらか一方は 3 の倍数で、
他方は 3 の倍数でないので、$n^2(n^2+8) = p^9$ となるのは、
$n^2 = 1$, $p = 3$ のときのみだが、これは成り立たない。

　　したがって、約数が 10 個となる $f(n)$ があるとすれば、
$p^4 q$ の形に素因数分解される場合のみである。

　　まず、$n$ が奇数の場合を見ていく。

　　$n^2$ と $n^2 + 8$ が 2 以上の公約数 $g$ をもつとすると、ある
自然数 $a, b$ が存在して、

$$n^2 = ga \qquad n^2 + 8 = gb$$

左辺、右辺をそれぞれ引き算して、$8 = g(b - a)$

これは、$g$ の候補は $2, 4, 8$ だが、これは $n$ が奇数であることと矛盾する。

よって、$n^2$ と $n^2 + 8$ は互いに素である。

したがって、$n^2(n^2 + 8) = p^4 q$ を満たすには、

$$\begin{cases} n^2 + 8 &= p^4 \\ n^2 &= q \end{cases} \qquad \begin{cases} n^2 + 8 &= q \\ n^2 &= p^4 \end{cases}$$

のいずれかだが、$n^2 = q$ だと $q$ が素数であることに矛盾する。

したがって、$\begin{cases} n^2 + 8 &= q \\ n^2 &= p^4 \end{cases}$

また、(2) より、$n^2, \ n^2 + 8$ のいずれかは $3$ の倍数で、$n^2 + 8$ が $3$ の倍数だと、$n^2 + 8 = q$ となり、$q$ が素数なので、$n^2 + 8 = 3$ となるが、これを満たす自然数 $n$ は存在しない。

よって、$n^2$ が $3$ の倍数であり、$n^2 = p^4$ で $p$ が素数なので、$p = 3, \ n = 9$

また、そのとき $n^2 + 8 = 89$（素数）となり題意を満たす。

$$\therefore \ n = 9$$

次に $n$ が偶数の場合を考える。

$n = 2^a m$（$m$ は奇数、$a$ は自然数）とおくと、

$$n^2(n^2 + 8) = 2^{2a} m^2 (2^{2a} m^2 + 8)$$
$$= 2^{2a+2} m^2 (2^{2a-2} m^2 + 2)$$

ここで、$a = 1$ のとき、

$$2^{2a+2} m^2 (2^{2a-2} m^2 + 2) = 2^4 m^2 (m^2 + 2)$$

$m^2$ と $m^2 + 2$ は $m$ が奇数なので、互いに素。

$m \neq 1$ だと素因数が 3 つ以上となり、$n^2(n^2 + 8) = p^4 q$ とならないので、$m = 1$

次に、$a \geqq 2$ のとき、$2^{2a+3} m^2 (2^{2a-3} m^2 + 1)$

$2^{2a+3} \geqq 2^7$ となり、$n^2(n^2 + 8) = p^4 q$ とならない。

$\therefore a = 1$, $m = 1$ で、そのとき $n = 2$

以上より、$n^2(n^2 + 8)$ の正の約数の個数が 10 個であるような $n$ は $n = 2, 9$

*Point*

この出題では、整数と素因数分解、約数の数といった基本的な性質をきちんと理解しているかを問われます。また、一見平易な問題文ですが、ていねいな場合分けをしていく必要があり、緻密な論理展開力も必要となります。

---

**問題 58**

正の整数の組 $(a, b)$ で、$a$ 以上 $b$ 以下の整数の総和が 500 となるものをすべて求めよ。ただし、$a < b$ とする。

（大阪大学　1999 年）

---

この問題文は、初項 $a$、末項 $b$、公差 1、項数 $b - a + 1$ の等差数列の和が 500 となっている場合について聞いていると読み解くことができることが鍵になります。

まず、等差数列の和なので、これは、

$$\frac{(a + b)(b - a + 1)}{2} = 500 \text{ と書くことができ、}$$

$(a+b)(b-a+1) = 1000 = 2^3 \cdot 5^3$ となる。

ここで、$a, b$ は正の整数なので、$(a+b)$ も $(b-a+1)$ も正の整数となり、いずれも $2^3 \cdot 5^3$ の約数の積でできた値となる。

ところで、$(a+b)$ と $(b-a+1)$ の偶奇は一致しないので、3つある2を両方に振り分けることはできない。そのため、この問題においては、8は素数のように扱うことができ、$8 \cdot 5^3$ の約数の個数は、$(1+1) \cdot (3+1) = 8$ 個となる。結果、積のペアは4組である。

次に、あきらかに $(a+b) > (b-a+1)$ であることを考慮すると、

$(a+b, b-a+1)$
$= (2^3 \cdot 5^3, 1), (5^3, 2^3), (2^3 \cdot 5, 5^2), (2^3 \cdot 5^2, 5)$

となり、

それぞれの連立方程式を解くと、

$(a, b) = (500, 500), (59, 66), (8, 32), (98, 102)$

$a < b$ なので $(a, b) = (500, 500)$ を除いた3組、

$(a, b) = (8, 32), (59, 66), (98, 102)$ が解となる。

*Point*

初項、末項、項数がわかっている等差数列の和の公式を忘れていても大丈夫です。そのときは天才ガウス少年の手法を思い出すといいでしょう。

$$\begin{array}{r} 1 + 2 + 3 + \cdots + 99 + 100 \\ +)\ 100 + 99 + 98 + \cdots + 2 + 1 \\ \hline 101 + 101 + 101 + \cdots + 101 + 101 \end{array}$$

**問題 59**

$m^4 + 14m^2$ が $2m + 1$ の整数倍となるような整数 $m$ をすべて求めよ。

(千葉大学　2013 年)

　この問題もきちんと読み解くことが重要です。問題文の条件を式で表すと、$m^4 + 14m^2 = (2m + 1)l$ ($l$ は整数) となり、このときの $m$ を求めればよいと書き換えられます。

　まず、$m^4 + 14m^2 = m^2(m^2 + 14)$ となり、これは $(2m + 1)l$ と等しい。

　そこで、$m^2$ と $2m + 1$ は互いに素であることを示す。

　$m^2$ と $2m + 1$ の最大公約数を $g$、$a, b$ を互いに素な整数とすると、$m^2 = ga$, $2m + 1 = gb$ となり、この 2 式の辺々を加えて、

$$m^2 + 2m + 1 = (m + 1)^2 = g(a + b)$$

ここで、$m$ と $m + 1$ は互いに素なので、$m^2$ と $(m + 1)^2$ も互いに素。

　よって、$g = 1$

　したがって、$m^2$ と $2m + 1$ も互いに素である。

　ここから、$m^2(m^2 + 14) = (2m + 1)l$ となるためには、$m^2 + 14 = (2m + 1)l$ となるような $m$ を求めればよい。

　$m^2 + 14 = (2m + 1)l$ を移項して整理し、$m$ の 2 次方程式とみなすと、

$$m^2 - 2lm + 14 - l = 0 \cdots ①$$

　この方程式が整数解をもつための必要条件は、$m$ の 2 次方程式 ① の判別式を $D$ とするとき、$D$ が平方数であるこ

と（2 次の係数が 1 である 2 次方程式なら判別式が平方数なら解は必ず整数である。ここではその証明は省くので必要条件に留めておく）。

$$\frac{D}{4} = l^2 + l - 14 = a^2 \quad （a は 0 以上の整数）$$

これを平方完成して整理すると、

$$\left(l + \frac{1}{2}\right)^2 - \frac{57}{4} = a^2$$

$$\left(l + \frac{1}{2}\right)^2 - a^2 = \frac{57}{4}$$

$$\Leftrightarrow \quad \left(l + \frac{1}{2} + a\right)\left(l + \frac{1}{2} - a\right) = \frac{57}{4}$$

この両辺を 4 倍し、

$$(2l + 1 + 2a)(2l + 1 - 2a) = 57 = 3 \times 19$$

$2l + 1 + 2a > 2l + 1 - 2a$ なので、

$$(2l + 1 + 2a, \ 2l + 1 - 2a)$$
$$= (57, 1), (19, 3), (-1, -57), (-3, -19)$$

となり、

$$l = 14, 5, -15, -6$$

これらの各々を、① に代入すると、

$l = 14$ のとき　$m^2 - 28m = 0$　$m = 0, 28$

$l = 5$ のとき　$m^2 - 10m + 9 = 0$　$m = 1, 9$

$l = -6$ のとき

$$m^2 + 12m + 20 = 0 \quad m = -2, -10$$

$l = -15$ のとき

$$m^2 + 30m + 29 = 0 \quad m = -1, -29$$

以上より

$m = -29, -10, -2, -1, 0, 1, 9, 28$ である。

*Point*

$ab = cd$ で $a$ と $c$ が互いに素なら $b$ は $c$ の倍数である。この当然とも思える公理が重要になります。ここから、$m^2(m^2 + 14) = (2m + 1)l$ という式を見ていき、$2m + 1$ が、$m^2$ と $m^2 + 14$ のどちらかと互いに素であることを示すことができれば、$m$ を絞り込むことができるという発想につながります。整数論の基礎が解法への着想の種子になっている良問です。

---

### 問題 60

$f(p, q, r) = p^3 - q^3 - 27r^3 - 9pqr$ について、次の問いに答えよ。

(1)　$f(p, q, r)$ を因数分解せよ。

(2)　等式 $f(p, q, r) = 0$ と $p^2 - 10q - 30r = 11$ との両方を満たす正の整数の組 $(p, q, r)$ をすべて求めよ。

（旭川医科大学　2015 年）

---

(1)　まず、$x^3 + y^3 + z^3 - 3xyz$

$= (x + y + z)(x^2 + y^2 + z^2 - xy - yz - zx)$

という 3 次式の因数分解を利用します。

$f(p, q, r) = p^3 - q^3 - 27r^3 - 9pqr$

＊このとき、$-q = Q, -3r = R$ と置き換えると間違えにくくなります。

$f(p, q, r) = p^3 + Q^3 + R^3 - 3pQR$

192

$$= (p+Q+R)(p^2+Q^2+R^2-pQ-QR-Rp)$$
$$= (p-q-3r)(p^2+q^2+9r^2+pq-3qr+3rp)$$

(2) $(p-q-3r)(p^2+q^2+9r^2+pq-3qr+3rp) = 0$

$p^2+q^2+9r^2+pq-3qr+3rp$

$$= \frac{1}{2}\{(p+q)^2+(-q+3r)^2+(p+3r)^2\} > 0$$

($p, q, r > 0$ なので、$p+q$, $p+3r > 0$ である)

$\therefore p-q-3r = 0 \cdots$①

$p^2-10q-30r = 11 \cdots$②

① より $\quad p = q+3r \cdots$③

② より $\quad p^2-10(q+3r) = 11 \cdots$④

③ を ④ に代入すると

$p^2-10p = 11 \qquad (p+1)(p-11) = 0$

$\therefore p = 11(> 0)$

$q+3r = 11$ を満たす $(q, r)$ は、

$\quad (q, r) = (8, 1), (5, 2), (2, 3)$

よって、

$\quad (p, q, r) = (11, 8, 1), (11, 5, 2), (11, 2, 3)$


*Point*

$x^3+y^3+z^3-3xyz = (x+y+z)(x^2+y^2+z^2-xy-yz-zx)$
は、公式として覚えてしまっている人も多いでしょう。しかし、この公式を導くにはどうしたらよいでしょうか?

まず、$x^3+y^3 = (x+y)^3-3xy(x+y)$ と、$x^3+y^3 = (x+y)(x^2-xy+y^2)$ を利用して、

$$x^3 + y^3 + z^3 - 3xyz$$
$$= (x+y)^3 - 3xy(x+y) + z^3 - 3xyz$$
$$= (x+y)^3 + z^3 - 3xyz - 3xy(x+y)$$
$$= (x+y+z)\{(x+y)^2 - (x+y)z + z^2\}$$
$$\quad - 3xy(x+y+z)$$
$$= (x+y+z)\{(x+y)^2 - (x+y)z + z^2 - 3xy\}$$
$$= (x+y+z)(x^2 + y^2 + z^2 - xy - yz - zx)$$

とするのが普通ですが、$x^3 + y^3 + z^3 - 3xyz$ は対称式なので、因数分解できるとすれば3文字の基本対称式、$x+y+z$, $xy+yz+zx$, $xyz$ で構成された式となっているはずです。そこで、$x+y+z$ を因数にもっているのではないかという「勘」を働かせ、$x^3 + 0x^2 - 3yz \cdot x + (y^3 + z^3)$ と $x$ の3次式として考え、$x+y+z$ で割ってみると導くことができます。

| $\underline{-y-z}$ | $1$ | $0$ | $-3yz$ | $y^3 + z^3$ |
|---|---|---|---|---|
| | | $-y-z$ | $y^2 + 2yz + z^2$ | $-y^3 - z^3$ |
| | $1$ | $-y-z$ | $y^2 - yz + z^2$ | $0$ |

# 第8章　不等式・絶対値

　不等式は「真の値を求めることが難しいもの」を「求めることのできる近い値」を用いて評価しようとするものです。

　例えば、自然対数の底である $e$ は、

$$e = \frac{1}{0!} + \frac{1}{1!} + \frac{1}{2!} + \frac{1}{3!} + \cdots + \frac{1}{n!} + \cdots = \sum_{n=0}^{\infty} \frac{1}{n!}$$

で表され、$2.718281828459\cdots$ という無理数であることが知られています。では、この $e$ の値を評価するにはどうしたらよいでしょうか。

　このように考えます。まず、式の形から $2 < e$ であることはすぐにわかります。次に、この定義式に対応する「より大きな数」で挟み込んでいきます。

$$1 + 1 + \left( \frac{1}{2^1} + \frac{1}{2^2} + \cdots + \frac{1}{2^n} + \cdots \right)$$

$$= 2 + \sum_{n=1}^{\infty} \frac{1}{2^n} = 3$$

ここから、$e < 3$ であることが評価できます。

　このように、$2 < e < 3$ だとわかります。

　有名な入試問題「(円周率) $> 3.05$ を証明せよ」(東京大学)も $\pi$ という真の値を求めるのが極めて困難な数字を「求めることのできる近い値」を用いて評価するという意味では同じタイプの問題です。この「求めることのできる近い値」をどのように見つけるか、そこに数学的な発想が問われるのです。

**問題 61**

方程式 $12x^3 - 21x^2 + 2x + 4 = 0$ $\cdots$ ① に対して、次の各問に答えよ。

(1) 方程式 ① は正の実数解を 2 個、負の実数解を 1 個もつことを証明せよ。

(2) 方程式 ① の正の実数解を $\alpha, \beta$ $(\alpha < \beta)$ とするとき、$|\alpha - 1|$ と $|\beta - 1|$ の大小を比較せよ。

(埼玉大学　1982 年)

(1) $f(x) = 12x^3 - 21x^2 + 2x + 4$ とおくと、

$f'(x) = 2(18x^2 - 21x + 1)$

$\dfrac{1}{2}f'(x) = 0$ の判別式を $D$ とすると、

$\dfrac{D}{4} = 21^2 - 18 > 0$ なので、

$f'(x) = 0$ は異なる実数解を 2 つもつ。

それらを $a, b$ $(a < b)$ とすると、$a + b = \dfrac{21}{18} > 0$,

$ab = \dfrac{1}{18} > 0$ なので、$a > 0, b > 0$

また、$f(0) = 4 > 0$, $f(1) = -3 < 0$ なので、

$y = f(x)$ のグラフの概形は、次のようになる。

196

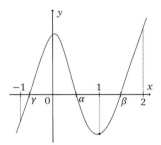

$y = f(x)$ のグラフより、正の実数解は2個、負の実数解は1個であることがわかる。

(2)　(1) より、$0 < \alpha < 1 < \beta$ なので $|\alpha - 1|$ と $|\beta - 1|$ の大小比較は、$1 - \alpha$ と $\beta - 1$ の大小関係を調べればよい。

　そこで、負の実数解を $\gamma$ とすると、

$f(0) > 0,\ f(-1) < 0$ なので $-1 < \gamma < 0$

また、解と係数の関係より $\alpha + \beta + \gamma = \dfrac{21}{12} = \dfrac{7}{4}$

$$\gamma = \dfrac{7}{4} - \alpha - \beta \qquad -1 < \dfrac{7}{4} - \alpha - \beta < 0$$

$$-1 - \dfrac{3}{4} < 1 - \alpha - \beta < -\dfrac{3}{4}$$

$$-\dfrac{7}{4} + \beta < 1 - \alpha < \beta - \dfrac{3}{4} \cdots ②$$

② の最右辺が $\beta - 1$ となるように $\gamma$ の範囲をもう少し絞ればよい。

② の最右辺が $\beta - 1$ になるためには、$\gamma$ と $-\dfrac{1}{4}$ との大小関係がわかればよい。

$$f\left(-\frac{1}{4}\right) = -\frac{3}{16} - \frac{21}{16} - \frac{1}{2} + 4 > 0 \text{ なので、}$$

$$\gamma < -\frac{1}{4}$$

$$\therefore \frac{7}{4} - \alpha - \beta < -\frac{1}{4} \iff 1 - \alpha < \beta - 1$$

以上より

$$|\alpha - 1| < |\beta - 1|$$

*Point*

　等式は、等号を保ったまま式変形しなければならないため、片方の辺のみの値を変えることはできません。しかし、不等式では、工夫すれば片側だけを比較したい値に変形できます。この問題でも、$1 - \alpha < \beta - \frac{3}{4}$ の右辺をどうすれば $\beta - 1$ にできるかを考えます。

---

**問題 62**

　$a, b$ を実数とする。方程式 $x^2 + ax + b = |x|$ が相異なる 4 個の実数解をもつような点 $(a, b)$ の存在する領域を図示せよ。

（信州大学　2006 年）

---

　$x^2 + ax + b = |x|$ が相異なる 4 個の実数解をもつためには、$x^2 + ax + b = x$ が $x \geqq 0$ の範囲に異なる 2 個の実数解をもち、かつ、$x^2 + ax + b = -x$ が $x < 0$ の範囲に異なる 2 個の実数解をもつことが必要です。それを手掛かり

にします。

i) $x^2 + ax + b = x \Leftrightarrow x^2 + (a-1)x + b = 0$ のとき

$$f(x) = \left(x + \frac{a-1}{2}\right)^2 - \frac{(a-1)^2}{4} + b$$

としたときのグラフより、

$$-\frac{(a-1)^2}{4} + b < 0 \ \text{かつ} \ -\frac{a-1}{2} > 0 \ \text{かつ} \ b \geqq 0$$

$$\therefore a < 1 \ \text{かつ} \ b \geqq 0 \ \text{かつ} \ b < \frac{(a-1)^2}{4}$$

ii) $x^2 + ax + b = -x \Leftrightarrow x^2 + (a+1)x + b = 0$ のとき

同様に、$g(x) = \left(x + \frac{a+1}{2}\right)^2 - \frac{(a+1)^2}{4} + b$ とした

ときのグラフより、

$$-\frac{(a+1)^2}{4} + b < 0$$

かつ $-\dfrac{a+1}{2} < 0$

かつ $b > 0$

$\therefore a > -1$ かつ $b > 0$

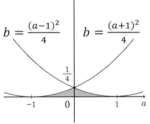

かつ $b < \dfrac{(a+1)^2}{4}$

以上をまとめると

$$-1 < a < 1 \ \text{かつ} \ b > 0 \ \text{かつ} \ b < \frac{(a-1)^2}{4}$$

かつ $b < \dfrac{(a+1)^2}{4}$

よってこの条件式を満たす領域を図示すると上のグレー部分になる。ただし、境界線を含まない。

*Point*

与式に絶対値がついているため、場合分けが必要になることが重要です。「場合の数」のときと同様に論理的に考える力が必要です。

---

**問題 63**

すべての正の実数 $x, y$ に対し $\sqrt{x} + \sqrt{y} \le k\sqrt{2x + y}$ が成り立つような実数 $k$ の最小値を求めよ。

（東京大学　1995 年）

---

$\sqrt{x} + \sqrt{y} \le k\sqrt{2x + y}$　$x > 0,\ y > 0$ なので、$k > 0$

両辺を $\sqrt{x}\ (> 0)$ で割ると

$$1 + \sqrt{\frac{y}{x}} \le k\sqrt{2 + \frac{y}{x}} \cdots ①$$

$$t = \sqrt{\frac{y}{x}} \quad (> 0) \text{ とおくと、}$$

① は、$1 + t \le k\sqrt{2 + t^2}$

両辺を $\sqrt{2 + t^2}\ (> 0)$ で割ると、$k \ge \dfrac{1 + t}{\sqrt{2 + t^2}}$

この右辺を $f(t)$ とおくと、すべての正の $t$ でこの不等式が成り立つための $k$ の最小値は、$f(t)$ の $t > 0$ における最大値である。

$$f(t) = \frac{1 + t}{\sqrt{2 + t^2}}$$

$$f'(t) = \frac{1}{\sqrt{2 + t^2}} - \frac{1}{2} \cdot \frac{1 + t}{(2 + t^2)^{\frac{3}{2}}} \cdot 2t$$

$$= \frac{2 + t^2 - t^2 - t}{(2 + t^2)^{\frac{3}{2}}} = \frac{2 - t}{(2 + t^2)^{\frac{3}{2}}}$$

よって増減表は下のようになる。

| $t$ | 0 | $\cdots$ | 2 | $\cdots$ |
|---|---|---|---|---|
| $f'(t)$ | $\times$ | $+$ | 0 | $-$ |
| $f(t)$ | $\times$ | $\nearrow$ | 最大 | $\searrow$ |

$t = 2$ で $f(t)$ は最大となるので、$k$ の最小値は

$$f(2) = \frac{\sqrt{6}}{2}$$

*Point*

この問題は文理共通問題で、分数関数や無理関数、合成関数の微分を学習していない人もいるので、それらを使わない解法も示しておきます。

$k \geqq \dfrac{1 + t}{\sqrt{2 + t^2}}$　　ここまでは同じです。

$k > 0,\ \dfrac{1 + t}{\sqrt{2 + t^2}} > 0$　なので、

$k \geqq \dfrac{1 + t}{\sqrt{2 + t^2}} \ \Leftrightarrow \ k^2 \geqq \dfrac{(t + 1)^2}{t^2 + 2}$

$f(t) = \dfrac{(t + 1)^2}{t^2 + 2}$ として $f(t)$ の最大値が $k^2$ の最小値。

$f(t) = \dfrac{(t + 1)^2}{t^2 + 2} = \dfrac{(t + 1)^2}{(t + 1)^2 - 2(t + 1) + 3}$

$\qquad = \dfrac{1}{1 - \frac{2}{t + 1} + \frac{3}{(t + 1)^2}}$

$\dfrac{1}{t+1} = s$ とおくと、

$$f(t) = \frac{1}{1 - \frac{2}{t+1} + \frac{3}{(t+1)^2}} = \frac{1}{3s^2 - 2s + 1}$$

$$= \frac{1}{3\left(s - \frac{1}{3}\right)^2 + \frac{2}{3}} \leqq \frac{3}{2}$$

$s = \dfrac{1}{t+1} = \dfrac{1}{3}$ すなわち、$t = 2$ のとき $f(t)$ は最大になる。

よって、$k^2$ の最小値は $\dfrac{3}{2}$, $k > 0$ なので、$k$ の最小値は

$$\sqrt{\frac{3}{2}} = \frac{\sqrt{6}}{2}$$

---

**問題 64**

2 以上の自然数 $n$ に対して、不等式
$\dfrac{1}{2^3} + \dfrac{1}{3^3} + \dfrac{1}{4^3} + \cdots\cdots + \dfrac{1}{n^3} < \dfrac{1}{4}$ が成り立つことを示せ。

(大阪大学　1992 年)

---

$$\frac{1}{1^2} + \frac{1}{2^2} + \frac{1}{3^2} + \frac{1}{4^2} + \cdots\cdots + \frac{1}{n^2} = \sum_{n=1}^{\infty} \frac{1}{n^2} = \frac{\pi^2}{6}$$

これは、オイラーが解明した「バーゼル問題」とよばれる有名な式です。一般に分母が偶数乗ならば、すべて $\pi$ を含んだ値に収束することが知られています。また、奇数乗の場合にどのような値に収束するのかは、未解決なのです。

　この問題では、$n$ の次数が 3 と奇数乗ですが、もちろん範囲を限定することは可能です。

　まず、分母をより与式より大きな値に置き換えて、はさみこみを考えます。

$$\frac{1}{1 \cdot 2 \cdot 3} + \frac{1}{2 \cdot 3 \cdot 4} + \frac{1}{3 \cdot 4 \cdot 5} + \cdots$$
$$+ \frac{1}{(n-1) \cdot n \cdot (n+1)}$$
$$= \frac{1}{2}\left\{ \frac{1}{1 \cdot 2} - \frac{1}{2 \cdot 3} + \frac{1}{2 \cdot 3} - \frac{1}{3 \cdot 4} + \frac{1}{3 \cdot 4} - \frac{1}{4 \cdot 5} \right.$$
$$\left. + \cdots + \frac{1}{(n-1) \cdot n} - \frac{1}{n \cdot (n+1)} \right\}$$

$n^3 > (n-1)n(n+1) = n^3 - n \ (\because n > 0)$ なので、

$$\frac{1}{n^3} < \frac{1}{(n-1)n(n+1)}$$
$$\frac{1}{2^3} + \frac{1}{3^3} + \frac{1}{4^3} + \cdots + \frac{1}{n^3}$$
$$< \frac{1}{1 \cdot 2 \cdot 3} + \frac{1}{2 \cdot 3 \cdot 4} + \frac{1}{3 \cdot 4 \cdot 5} + \cdots$$
$$+ \frac{1}{(n-1) \cdot n \cdot (n+1)}$$
$$= \frac{1}{2}\left\{ \frac{1}{1 \cdot 2} - \frac{1}{2 \cdot 3} + \frac{1}{2 \cdot 3} - \frac{1}{3 \cdot 4} + \frac{1}{3 \cdot 4} - \frac{1}{4 \cdot 5} \right.$$
$$\left. + \cdots + \frac{1}{(n-1) - n} - \frac{1}{n \cdot (n+1)} \right\}$$
$$= \frac{1}{4} - \frac{1}{2n(n+1)} < \frac{1}{4}$$

よって題意は示された。

*Point*

「部分分数分解」を使えばあっという間に解決する問題です。部分分数分解は中学入試と大学入試では頻出なのになぜか高校入試ではあまり出題されません。

---

**問題 65**

次の問に答えよ。

(1) 次の等式が成り立つような整数 $p, q, r$ の例をあげよ。

$$\frac{1}{2 - \sqrt[3]{7}} = p + q\sqrt[3]{7} + r\sqrt[3]{49}$$

(2) $\sqrt[3]{7}$ と $\sqrt[3]{9}$ ではどちらが 2 に近いか。

(埼玉大学　2004 年)

---

(1) $(a - b)(a^2 + ab + b^2) = a^3 - b^3$ を利用して分母を有理化する。

$$\frac{1}{2 - \sqrt[3]{7}} = \frac{4 + 2\sqrt[3]{7} + (\sqrt[3]{7})^2}{(2 - \sqrt[3]{7})(4 + 2\sqrt[3]{7} + (\sqrt[3]{7})^2)}$$

$$= \frac{4 + 2\sqrt[3]{7} + \sqrt[3]{49}}{8 - 7} = 4 + 2\sqrt[3]{7} + \sqrt[3]{49}$$

$\therefore (p, q, r) = (4, 2, 1)$

(2) $\sqrt[3]{7} < \sqrt[3]{8} = 2 < \sqrt[3]{9}$ なので、$\sqrt[3]{7}$ と $\sqrt[3]{9}$ では、どちらが 2 に近いかは、$2 - \sqrt[3]{7}$ と $\sqrt[3]{9} - 2$ の大小を比較すればよい。

$$\frac{1}{2 - \sqrt[3]{7}} - \frac{1}{\sqrt[3]{9} - 2}$$

$$= \frac{4 + 2\sqrt[3]{7} + \sqrt[3]{49}}{(2 - \sqrt[3]{7})(4 + 2\sqrt[3]{7} + \sqrt[3]{49})}$$

$$- \frac{\sqrt[3]{81} + 2\sqrt[3]{9} + 4}{(\sqrt[3]{9} - 2)(\sqrt[3]{81} + 2\sqrt[3]{9} + 4)}$$

$$= \frac{4 + 2\sqrt[3]{7} + \sqrt[3]{49}}{8 - 7} - \frac{\sqrt[3]{81} + 2\sqrt[3]{9} + 4}{9 - 8}$$

$$= 2(\sqrt[3]{7} - \sqrt[3]{9}) + \sqrt[3]{49} - \sqrt[3]{81} < 0$$

$$\therefore \frac{1}{2 - \sqrt[3]{7}} < \frac{1}{\sqrt[3]{9} - 2}$$

$$\therefore 2 - \sqrt[3]{7} > \sqrt[3]{9} - 2$$

したがって、$\sqrt[3]{9}$ のほうが $2$ に近い。

*Point*

$y = \sqrt[3]{x}$ という関数の、グラフの接線の傾きを考えれば、$\sqrt[3]{7}$ と $\sqrt[3]{9}$ とでは $\sqrt[3]{9}$ のほうが $8$ に近いのはほぼ自明です。

$$y' = \frac{1}{3x^{\frac{2}{3}}} \qquad \frac{1}{3 \cdot 7^{\frac{2}{3}}} > \frac{1}{3 \cdot 8^{\frac{2}{3}}} > \frac{1}{3 \cdot 9^{\frac{2}{3}}}$$

---

**問題 66**

正の整数 $n$ の正の平方根 $\sqrt{n}$ は整数ではなく、それを 10 進法で表すと、小数第 1 位は 0 であり、第 2 位は 0 以外の数であるとする。

(1) このような $n$ の中で最小のものを求めよ。

(2) このような $n$ を小さいものから順に並べたときに 10 番目にくるものを求めよ。

(名古屋大学 2019 年)

---

(1)　まず、$\sqrt{n}$ の整数部分を $k$ とすると、小数第 1 位は 0、第 2 位は 0 以外の数なので、$k + \dfrac{1}{100} \leqq \sqrt{n} < k + \dfrac{1}{10}$ と表すことができます。これを平方して、

$$k^2 + \frac{1}{50}k + \frac{1}{10000} \leqq n < k^2 + \frac{1}{5}k + \frac{1}{100}$$

上式から $\sqrt{n}$ の整数部分の平方 $k^2$ を引くと、

$$\frac{1}{50}k + \frac{1}{10000} \leqq n - k^2 < \frac{1}{5}k + \frac{1}{100} \quad \cdots \text{①}$$

$n - k^2$ は整数で、$0 < \dfrac{1}{50}k + \dfrac{1}{10000}$ なので、① を満たす整数 $n$ が存在するためには、$\dfrac{1}{5}k + \dfrac{1}{100} > 1$ であることが必要。

$k$ は正の整数なので　$\therefore k \geqq 5$

$k = 5$ のとき

$$\frac{1}{10} + \frac{1}{10000} \leqq n - 25 < 1 + \frac{1}{100}$$

$$\therefore n - 25 = 1$$

よって求める最小の $n$ は、$n = 26$

(2)　① において $5 \leqq k \leqq 9$ のとき

$$0 < \frac{k}{50} + \frac{1}{10000} < 1, \quad 1 < \frac{k}{5} + \frac{1}{100} < 2 \text{ なので、}$$

各 $k$ に対して $n - k^2 = 1$ つまり、$n = k^2 + 1$ の 1 個ある。

同様に ① において $10 \leqq k \leqq 14$ のとき、

$$0 < \frac{k}{50} + \frac{1}{10000} < 1, \quad 2 < \frac{k}{5} + \frac{1}{100} < 3 \text{ なので、}$$

各 $k$ に対して $n - k^2 = 1, 2$ つまり、$n = k^2 + 1, k^2 + 2$ の 2 個ある。

したがって、$k = 11$ までに $5 + 2 + 2 = 9$（個）あるので、小さい方から 10 番目の $n$ は、

$$n = 12^2 + 1 = 145$$

*Point*

10 進法と問題文にあるため、$N$ 進法を思い出しますが、そこは重要ではありません。問題文を正しく不等式に変換できるかが問われるおもしろい問題です。

---

**問題 67**

$a, b$ を正の整数とする。このとき

(1)　$\sqrt{2}$ が $\dfrac{b}{a}$ と $\dfrac{2a + b}{a + b}$ との間にあることを示せ。

(2)　$\sqrt{2}$ は $\dfrac{b}{a}$ と $\dfrac{2a + b}{a + b}$ のどちらに近いか。

（名古屋市立大学　1966 年）

---

(1)　まず、$\sqrt{2}$ が $\dfrac{b}{a}$ と $\dfrac{2a + b}{a + b}$ の間にあるならば、

$\sqrt{2} - \dfrac{b}{a}$ は正、$\sqrt{2} - \dfrac{2a + b}{a + b}$ は負となります。

そこで、$\left( \sqrt{2} - \dfrac{b}{a} \right) \left( \sqrt{2} - \dfrac{2a + b}{a + b} \right) < 0$ を示すことができばよいことがわかります。

$$\left( \sqrt{2} - \dfrac{b}{a} \right) \left( \sqrt{2} - \dfrac{2a + b}{a + b} \right)$$

$$= -\sqrt{2}\left(\frac{2a+b}{a+b} + \frac{b}{a}\right) + 2 + \frac{b(2a+b)}{a(a+b)}$$

$$= \frac{1}{a(a+b)}\{-\sqrt{2}(2a^2 + 2ab + b^2) + 2a^2 + 4ab + b^2\}$$

$$= \frac{1}{a(a+b)}\{2a^2(1 - \sqrt{2}) - 2\sqrt{2}ab(1 - \sqrt{2})$$

$$+ b^2(1 - \sqrt{2})\}$$

$$= \frac{1 - \sqrt{2}}{a(a+b)}(2a^2 - 2\sqrt{2}ab + b^2)$$

$$= \frac{1 - \sqrt{2}}{a(a+b)}(\sqrt{2}a - b)^2 < 0$$

$$(\because a > 0,\ b > 0,\ 1 - \sqrt{2} < 0,\ (\sqrt{2}a - b)^2 > 0)$$

※ $a, b$ は整数なので $\sqrt{2}a - b$ が $0$ になることはありません。

よって、$\sqrt{2}$ は $\dfrac{b}{a}$ と $\dfrac{2a+b}{a+b}$ の間にある。

(2) $\dfrac{b}{a}$ と $\dfrac{2a+b}{a+b}$ はどちらが $\sqrt{2}$ に近いかは、
$\left|\dfrac{b}{a} - \sqrt{2}\right|$ と $\left|\dfrac{2a+b}{a+b} - \sqrt{2}\right|$ の大小を比較すればよい。

$$\left|\frac{2a+b}{a+b} - \sqrt{2}\right| = \left|\frac{2a+b - \sqrt{2}a - \sqrt{2}b}{a+b}\right|$$

$$= \left|\frac{b - \sqrt{2}a - \sqrt{2}(b - \sqrt{2}a)}{a+b}\right|$$

$$= \left|\frac{(b - \sqrt{2}a)(1 - \sqrt{2})}{a+b}\right|$$

$$= \left| \frac{(b - \sqrt{2}a)(\sqrt{2} - 1)}{a + b} \right| \cdots ①$$

$$\left| \frac{b}{a} - \sqrt{2} \right| = \left| \frac{1}{a}(b - \sqrt{2}a) \right| \cdots ②$$

①，② は、$b - \sqrt{2}a$ が共通しているので、$\left| \dfrac{\sqrt{2} - 1}{a + b} \right|$ と

$\left| \dfrac{1}{a} \right|$ の大小を比較すればよい。

※絶対値記号がついているので $b - \sqrt{2}a$ の正負は関係あ
りません。

$\dfrac{\sqrt{2} - 1}{a + b} > 0, \ \dfrac{1}{a} > 0$ なので、絶対値記号を外す。

$$\frac{\sqrt{2} - 1}{a + b} = \frac{(\sqrt{2} - 1)(\sqrt{2} + 1)}{(a + b)(\sqrt{2} + 1)} = \frac{1}{(a + b)(\sqrt{2} + 1)}$$

あきらかに $(a + b)(\sqrt{2} + 1) > a$ なので、$\dfrac{\sqrt{2} - 1}{a + b} < \dfrac{1}{a}$

$$\therefore \left| \frac{b}{a} - \sqrt{2} \right| > \left| \frac{2a + b}{a + b} - \sqrt{2} \right|$$

以上より、$\dfrac{2a + b}{a + b}$ のほうが $\sqrt{2}$ に近い。

*Point*

$\sqrt{2}$ が $\dfrac{b}{a}$ と $\dfrac{2a + b}{a + b}$ の間にあるならば、

$\left( \sqrt{2} - \dfrac{b}{a} \right)\left( \sqrt{2} - \dfrac{2a + b}{a + b} \right) < 0$ という考え方は、3 次
方程式が相違の 3 実根をもつ条件、3 次関数 $f(x)$ が $\alpha, \beta$ で
極値をとり、$f(\alpha)f(\beta) < 0$ となればよいという発想と同じ

です。

**問題 68**

$a_n = \displaystyle\sum_{k=1}^{n} \frac{1}{\sqrt{k}}$, $\quad b_n = \displaystyle\sum_{k=1}^{n} \frac{1}{\sqrt{2k+1}}$ とするとき、

$\displaystyle\lim_{n\to\infty} a_n$, $\displaystyle\lim_{n\to\infty} \frac{b_n}{a_n}$ を求めよ。

（東京大学　　1990 年）

$$a_n = \sum_{k=1}^{n} \frac{1}{\sqrt{k}} = \frac{1}{\sqrt{1}} + \frac{1}{\sqrt{2}} + \cdots + \frac{1}{\sqrt{n}}$$

$$> \frac{1}{\sqrt{n}} + \frac{1}{\sqrt{n}} + \cdots + \frac{1}{\sqrt{n}}$$

$$= \frac{1}{\sqrt{n}} \times n = \sqrt{n} \ \to \infty \ (n \to \infty)$$

$$\therefore \lim_{n\to\infty} a_n = \infty$$

また、

$$\frac{1}{\sqrt{2k+2}} < \frac{1}{\sqrt{2k+1}} < \frac{1}{\sqrt{2k}} \text{ なので、}$$

$$\sum_{k=1}^{n} \frac{1}{\sqrt{2k+2}} < \sum_{k=1}^{n} \frac{1}{\sqrt{2k+1}} < \sum_{k=1}^{n} \frac{1}{\sqrt{2k}}$$

$$\frac{1}{\sqrt{2}} \sum_{k=1}^{n} \frac{1}{\sqrt{k+1}} < \sum_{k=1}^{n} \frac{1}{\sqrt{2k+1}} < \frac{1}{\sqrt{2}} \sum_{k=1}^{n} \frac{1}{\sqrt{k}}$$

$$\therefore \frac{1}{\sqrt{2}} \left( a_n + \frac{1}{\sqrt{n+1}} - 1 \right) < b_n < \frac{1}{\sqrt{2}} a_n$$

辺々を $a_n \ (> 0)$ で割って

$$\frac{1}{\sqrt{2}}\left(1 + \frac{1}{a_n\sqrt{n+1}} - \frac{1}{a_n}\right) < \frac{b_n}{a_n} < \frac{1}{\sqrt{2}}$$

$\displaystyle\lim_{n\to\infty} a_n = \infty$ なので、

$$\lim_{n\to\infty} \frac{1}{\sqrt{2}}\left(1 + \frac{1}{a_n\sqrt{n+1}} - \frac{1}{a_n}\right) = \frac{1}{2}$$

はさみうちの定理により、$\displaystyle\lim_{n\to\infty} \frac{b_n}{a_n} = \frac{1}{\sqrt{2}}$

*Point*

$\dfrac{1}{1} + \dfrac{1}{2} + \dfrac{1}{3} + \dfrac{1}{4} + \dfrac{1}{5} + \cdots$ は無限に発散します。

理由は、

$$\frac{1}{1} + \frac{1}{2} + \frac{1}{3} + \frac{1}{4} + \frac{1}{5} + \frac{1}{6} + \frac{1}{7} + \frac{1}{8} + \cdots$$

$$\| \quad \vee \quad \| \quad \vee \quad \vee \quad \vee \quad \|$$

$$\frac{1}{2} \quad \frac{1}{4} + \frac{1}{4} \quad\quad \frac{1}{8} + \frac{1}{8} + \frac{1}{8} + \frac{1}{8}$$

$$\| \quad\quad\quad \|$$

$$\frac{1}{2} \quad\quad\quad \frac{1}{2}$$

のように、$\dfrac{1}{2}$ を無限に足したものより大きいから、

$\dfrac{1}{1} + \dfrac{1}{2} + \dfrac{1}{3} + \dfrac{1}{4} + \dfrac{1}{5} + \cdots$ よりさらに大きいはずです。

$\dfrac{1}{\sqrt{1}} + \dfrac{1}{\sqrt{2}} + \dfrac{1}{\sqrt{3}} + \cdots + \dfrac{1}{\sqrt{n}}$ は、当然無限に発散します。

しかし、和を簡単な式で表すことができないので、それよ

り小さくて無限に発散する、

$$\frac{1}{\sqrt{n}} + \frac{1}{\sqrt{n}} + \frac{1}{\sqrt{n}} + \cdots + \frac{1}{\sqrt{n}} = \frac{1}{\sqrt{n}} \times n = \sqrt{n}$$

を用意するのがポイント。

# 第9章　複素数

　虚数単位 $i$ は、高校数学で必ず学習するものですが、実は、天才ガウスが考案した「ガウス平面」とよばれる「複素数平面」に関しては、高校カリキュラムから外されたり、戻ったりを繰り返しているのです。

　実は、私の世代は高校時代に、複素数平面を学んできていません。

　複素数平面は、単純に $x$–$y$ 平面の $x$ 軸を実軸、$y$ 軸を虚軸としたものですが、ここから見つかるさまざまな数学的事象は、すべてが美しく圧巻なのです。

　たとえば、複素数を利用すれば三角関数の「加法定理」を忘れてしまっても、オイラーの公式を用いて、その場で手っ取り早く思い出すことができます。

$$\text{オイラーの公式：} e^{i\theta} = \cos\theta + i\sin\theta$$

　まず、$\theta = \alpha + \beta$ とするとオイラーの公式の左辺は、

$$e^{i(\alpha+\beta)} = e^{i\alpha} \cdot e^{i\beta} \quad (\text{指数法則 } a^m a^n = a^{m+n})。$$

　次に右辺は、$\cos(\alpha + \beta) + i\sin(\alpha + \beta) = (\cos\alpha + i\sin\alpha)(\cos\beta + i\sin\beta) = \cos\alpha\cos\beta - \sin\alpha\sin\beta + i(\sin\alpha\cos\beta + \cos\alpha\sin\beta)$

　このように導くことができます。

　複素数平面が、今後、高校の履修課程から外されることがないように祈るばかりです。

一見、微分して、増減を調べて、グラフを描いて ‥‥‥
と解きたくなりますが、それよりも、まず「絶対値が 1 の虚
根」を $\cos\theta + i\sin\theta (\sin\theta \neq 0)$ とおき、この方程式に代入
します。

$(\cos\theta + i\sin\theta)^3 - (\cos\theta + i\sin\theta) + k$

$= \cos 3\theta + i\sin 3\theta - \cos\theta - i\sin\theta + k$

ここでド・モアブルの定理を用いて、

$= \cos 3\theta - \cos\theta + k + i(\sin 3\theta - \sin\theta) = 0$

実部と虚部がともに 0 なので、

$\cos 3\theta - \cos\theta + k = 0 \cdots$ ①

$\sin 3\theta - \sin\theta = 0 \cdots$ ②

② より $2\sin\theta - 4\sin^3\theta = 0$, $\sin\theta \neq 0$ より、

$\sin^2\theta = \dfrac{1}{2}$

$\therefore \sin\theta = \pm\dfrac{1}{\sqrt{2}}$

$\therefore \cos^2\theta = \dfrac{1}{2}$ より、$\cos\theta = \pm\dfrac{1}{\sqrt{2}}$

① に代入すると、

$4\cos^3\theta - 4\cos\theta + k = \mp\sqrt{2} + k = 0$ （複号同順）

$k > 0$ だから $k = \sqrt{2}$, $\cos\theta = \dfrac{1}{\sqrt{2}}$

以上より、虚根が $\dfrac{1}{\sqrt{2}} \pm \dfrac{i}{\sqrt{2}}$，実根が $-\sqrt{2}$

*Point*

　ここで重要なことは、実根（実数解）ではなく、虚根（虚数解）について「絶対値が……」という条件が与えられていることです。虚根は、$x$–$y$ 平面上では視覚的に捉えることはできないため、複素数平面での極形式で展開をしていく方針を取っています。

---

**問題 70**

　次の（ア）の空欄に適する値を求めよ。

(1)　虚部が正の複素数 $z$ で $iz^2 + 2iz + \dfrac{1}{2} + i = 0$ をみたすものを $z = a + bi$（$a, b$ は実数, $b > 0$）の形で表すと $z = \boxed{\text{（ア）}}$ となる。

（横浜市立大学　2000 年　(2) は省略）

---

　未知数だらけですが、左辺のすべての項に $i$ があることから、

$iz^2 + 2iz + \dfrac{1}{2} + i = 0$ の両辺を $i$ で割ります。

$z^2 + 2z + 1 + \dfrac{1}{2i} = 0 \quad \Leftrightarrow \quad (z+1)^2 = \dfrac{1}{2}i$

$z + 1 \neq 0$ より、

$z + 1 = r(\cos \theta + i \sin \theta)\ (r > 0,\ 0 \leq \theta < 2\pi)$ とおくと、

$r^2(\cos 2\theta + i \sin 2\theta) = \dfrac{1}{2}\left(\cos \dfrac{\pi}{2} + i \sin \dfrac{\pi}{2}\right)$

左辺にド・モアブルの定理を使い、両辺をそれぞれ極形式で表すと、

$$r = \frac{1}{\sqrt{2}}, \ 2\theta = \frac{\pi}{2} + 2n\pi \ (n \text{ は整数})$$

$0 \leqq \theta < 2\pi$ より、$n = 0, 1$

$$\theta = \frac{\pi}{4}, \ \frac{5\pi}{4}$$

ここで、$z$ すなわち $z + 1$ の虚部が正なので $\theta = \dfrac{\pi}{4}$

$$\therefore z + 1 = \frac{1}{\sqrt{2}} \left( \cos \frac{\pi}{4} + i \sin \frac{\pi}{4} \right)$$

$$= \frac{1}{\sqrt{2}} \left( \frac{\sqrt{2}}{2} + i \frac{\sqrt{2}}{2} \right) = \frac{1}{2} + \frac{1}{2} i$$

$$z = -\frac{1}{2} + \frac{1}{2} i$$

*Point*

2次方程式の解の公式は、係数に虚数を含む方程式にも使うことができます。

$z^2 + 2z + 1 + \dfrac{1}{2i} = 0$ とすると、解の公式より、

$$z = -1 + \sqrt{1^2 - 1 \cdot \left( 1 + \frac{1}{2i} \right)} = -1 + \sqrt{\frac{1}{2} \cdot \sqrt{i}} \quad \text{とな}$$

り、平方根号の中に $i$ が残ります。後述するように、平方根の中が虚数の場合、平方根の値は2つあるため、根号の前の符号は $\pm$ ではなく、$+$ としています。これは高校での履修課程の範囲外かもしれませんが、複素数のかけ算の意味を考えれば、すぐに解決できます。

$\sqrt{i}$ とは 2 乗して $i$ になる数なので、絶対値は 1 で、偏角は 90° の $\dfrac{1}{2}$ か 450° の $\dfrac{1}{2}$ であるから、

$$\sqrt{i} = \cos 45° + i\sin 45°, \ \cos 225° + i\sin 225°$$

$$= \pm\frac{\sqrt{2}}{2} \pm \frac{\sqrt{2}}{2}i \ (\text{複号同順})$$

よって $z = -1 + \sqrt{\dfrac{1}{2}}\left(\pm\dfrac{\sqrt{2}}{2} \pm \dfrac{\sqrt{2}}{2}i\right)$

$$= -1 \pm \frac{1}{2} \pm \frac{1}{2}i \ (\text{複号同順})$$

$$\Leftrightarrow \ z = -\frac{1}{2} + \frac{1}{2}i, \ -\frac{3}{2} - \frac{1}{2}i$$

ここで、$z$ の虚部は正なので、$z = -\dfrac{1}{2} + \dfrac{1}{2}i$

---

### 問題 71

$z^3 - 2|z| + 1 = 0$ を満たすような複素数 $z$ で、実数でないものの個数を求めよ。ただし $z = x + iy \ (i = \sqrt{-1}, x, y$ は実数$)$ とするとき、$|z| = \sqrt{x^2 + y^2}$ である。

（神戸大学　1968 年）

---

与式はあきらかに $z \neq 0$ なので、

$z = r(\cos\theta + i\sin\theta) \ (r > 0, \ 0 \leqq \theta < 2\pi)$ とおくと、

$|z| = r$ なので、

$$r^3(\cos 3\theta + i\sin 3\theta) - 2r + 1 = 0$$

$$r^3\cos 3\theta - 2r + 1 + i\sin 3\theta = 0$$

$$\therefore r^3\cos 3\theta - 2r + 1 = 0 \cdots ① \quad かつ \quad \sin 3\theta = 0 \cdots ②$$

② より $3\theta = n\pi$ （$n$ は 0 以上の整数）

$\theta = \dfrac{n\pi}{3}$　$0 \leqq \theta < 2\pi$ なので、$n = 0, 1, 2, 3, 4, 5$

また、$z$ は虚数なので、$n = 0, 3$ は不適

$\therefore n = 1, 2, 4, 5$

$\qquad \theta = \dfrac{\pi}{3},\ \dfrac{2\pi}{3},\ \dfrac{4\pi}{3},\ \dfrac{5\pi}{3}$

$\theta = \dfrac{\pi}{3},\ \dfrac{5\pi}{3}$ のとき　$\cos 3\theta = -1$

$\Leftrightarrow -r^3 - 2r + 1 = 0$

$\theta = \dfrac{2\pi}{3},\ \dfrac{4\pi}{3}$ のとき　$\cos 3\theta = 1\ \Leftrightarrow\ r^3 - 2r + 1 = 0$

$\qquad -r^3 - 2r + 1 = 0\ \Leftrightarrow\ r^3 + 2r - 1 = 0$

$f(r) = r^3 + 2r - 1$ とおくと、$f(0) = -1 < 0$,
$f(r) = 3r^2 + 2 > 0$ なので、$f(r)$ のグラフは図のようにな
り、$f(r) = 0$ は、正の実数解を 1 つもつ。

$r^3 - 2r + 1 = 0$ のとき

$\qquad (r-1)(r^2 + r - 1) = 0$

$\qquad r = 1,\ \dfrac{-1 \pm \sqrt{5}}{2}\quad r > 0$

$\qquad$ より、$r = 1,\ \dfrac{-1 + \sqrt{5}}{2}$

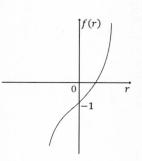

以上より、

$\theta = \dfrac{\pi}{3},\ \dfrac{5\pi}{3}$ のときそれぞ

れに $r$ の値が 1 つで、合計 2 個。

$\theta = \dfrac{2\pi}{3},\ \dfrac{4\pi}{3}$ のとき、$r$ の値がそれぞれに 2 つあるの

で、合計 4 個。

以上より、$z^3 - 2|z| + 1 = 0$ を満たす $z$ のうち実数でないものは、6 個である。

*Point*

$z$ は虚数ですが、$|z|$ は実数であるという基本を見落としてしまわないように注意してください。

---

### 問題 72

方程式 $z^2 + i = 0$ を解け。ただし、$i$ は虚数単位とする。

（神戸大学　1971 年）

---

複素数平面上の極形式を考えます。まず、$z = 0$ は与えられた方程式の解ではないので、$z \neq 0$ です。

$z = r(\cos\theta + i\sin\theta)$ $(r > 0, 0 \leq \theta < 2\pi)$ とおくと、この方程式は、

$$r^2(\cos 2\theta + i\sin 2\theta) = -i = \cos\frac{3\pi}{2} + i\sin\frac{3\pi}{2}$$

$$\therefore r = 1, \ 2\theta = \frac{3\pi}{2} + 2n\pi \ (n \text{ は整数})$$

$0 \leq \theta < 2\pi$ より、$\theta = \dfrac{3\pi}{4}, \ \dfrac{7\pi}{4}$

$$z = \cos\frac{3\pi}{4} + i\sin\frac{3\pi}{4}, \ \cos\frac{7\pi}{4} + i\sin\frac{7\pi}{4}$$

$$= -\frac{\sqrt{2}}{2} + \frac{\sqrt{2}}{2}i, \ \frac{\sqrt{2}}{2} - \frac{\sqrt{2}}{2}i$$

まとめると、

$$z = \pm \frac{\sqrt{2}}{2} \mp \frac{\sqrt{2}}{2} i \ (\text{複号同順})$$

*Point*

　問題文の短さに驚きます！　問題 70 の「*Point*」で解の公式を使ったときに、$\sqrt{i}$ が出てきてしまう場合の考え方を紹介しましたが、この問題は、$\sqrt{-i}$ を求める問題なのです！

---

**問題 73**

(1)　方程式 $x^3 - x^2 - x + k = 0 \ (k > 1)$ の実根は 1 個であることを示せ。

(2)　上の方程式の 3 根の絶対値は、いずれも 1 より大きいことを示せ。

（横浜市立大学　1973 年）

---

(1)　まず、正攻法で微分をして極大・極小を調べます。

　$f(x) = x^3 - x^2 - x + k$ とすると、

　　$f'(x) = 3x^2 - 2x - 1 = (3x + 1)(x - 1)$

　$f(x)$ は $x = -\dfrac{1}{3}$ で極大値、$x = 1$ で極小値をとる。

　　$f(1) = k - 1 > 0 \ (\because k > 1)$

極小値が正なので、$f(x)$ は $x$ 軸とは 1 点でしか交わらない。

　よって、$f(x) = 0$ の実根は 1 個である。

(2)　(1) から、$y = f(x)$ のグラフの概形を描いてみる。

実根（$\alpha$ とする）はグラフより $\alpha < 0$, $f(-1) = k - 1 > 0$ なので、$\alpha < -1$　∴ $|\alpha| > 1$

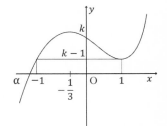

2つの虚根（$\beta, \gamma$ とする）は共役なので $a \pm bi$（$a$ は実数、$b$ は $0$ でない実数）とおくと、

根（解）と係数の関係より、

$$\alpha + \beta + \gamma = \alpha + 2a = 1$$

$$2a = 1 - \alpha > 2 \ (\because \alpha < -1)$$

$$\therefore a > 1$$

$a \pm bi$ の絶対値は $\sqrt{a^2 + b^2} > 1 \ (\because a > 1)$

よって題意は示された。

*Point*

虚根（虚数解）は、$x$–$y$ 平面上では視覚的に捉えることはできません。そこで、3次方程式の解と係数の関係を用いて、$a \pm bi$ の $a > 1$ を利用しています。

---

### 問題 74

$zw = z^3 = w^4$ をみたす複素数の組 $(z, w)$ の個数を求めよ。

（神戸大学　1999 年）

---

与えられた条件を以下のように書きます。

$$zw = z^3 \cdots ① \quad かつ \quad zw = w^4 \cdots ②$$

① より $z(z^2 - w) = 0$

$z = 0$ または $z^2 = w$

i) $z = 0$ のとき、② に代入して $w^4 = 0$ なので $w = 0$

$\therefore (z, w) = (0, 0)$ より、求める組は 1 個である。

ii) $z^2 = w$ のとき、② に代入して $z^3 = z^8$

$z^3(z^5 - 1) = 0$　$z = 0$ または、$z^5 - 1 = 0$

$z = 0$ のときはすでに済んでいる。$z \neq 0$ のときを考えると、

$z = r(\cos\theta + i\sin\theta)$ とおくと、$(r > 0, \ 0 \leq \theta < 2\pi)$

ド・モアブルの定理より、$z^5 = r^5(\cos 5\theta + i\sin 5\theta) = 1$

$\therefore r^5 = 1, \quad \cos 5\theta = 1, \quad \sin 5\theta = 0$

$\therefore r = 1, \quad 5\theta = 2n\pi \ \Leftrightarrow \ \theta = \dfrac{2n}{5}\pi$ ($n$ は整数)

$0 \leq \theta < 2\pi$ なので $n = 0, 1, 2, 3, 4$

$z = \cos\dfrac{2n}{5}\pi + i\sin\dfrac{2n}{5}\pi$ を $w = z^2$ に代入すると、

$$w = \left(\cos\frac{2n}{5}\pi + i\sin\frac{2n}{5}\pi\right)^2$$

$$= \cos\frac{4n}{5}\pi + i\sin\frac{4n}{5}\pi$$

$$(z, w) = \left(\cos\frac{2n}{5}\pi + i\sin\frac{2n}{5}\pi, \ \cos\frac{4n}{5}\pi + i\sin\frac{4n}{5}\pi\right)$$

$n = 0, 1, 2, 3, 4$ より、求める組は 5 個である。

以上より、求める組は全部で 6 個である。

*Point*

複素数には、実数も含まれることを忘れないように注意してください。

**問題 75**

2 乗して $8+6i$ になる複素数を $z$ とするとき、次の式の値を求めよ。

$$z^3 - 16z - \frac{100}{z}$$

（広島大学　1966 年）

与えられた条件より、$z^2 = 8 + 6i \iff z^2 - 8 = 6i$
この両辺を 2 乗して、

$$z^4 - 16z^2 + 64 = 36i^2 = -36$$

$$\iff z^4 - 16z^2 - 100 = -200$$

$$z^3 - 16z - \frac{100}{z} = \frac{1}{z}(z^4 - 16z^2 - 100)$$

$$= -200 \cdot \frac{1}{z} \cdots \text{①}$$

ここで、$z = r(\cos\theta + i\sin\theta)\ (r > 0,\ 0 \leq \theta < 2\pi)$ とおくと、

$$z^2 = r^2(\cos 2\theta + i\sin 2\theta) = 8 + 6i = 10\left(\frac{4}{5} + \frac{3}{5}i\right)$$

最右辺を極形式で表すことを考える。

$\cos\alpha = \dfrac{4}{5}$, $\sin\alpha = \dfrac{3}{5}$　とおくと、

$$z^2 = r^2(\cos 2\theta + i\sin 2\theta) = 10(\cos\alpha + i\sin\alpha)$$

$$\therefore r = \sqrt{10},\ \cos 2\theta = 2\cos^2\theta - 1 = \frac{4}{5}\ \text{より、}$$

$$\cos^2\theta = \frac{9}{10} \quad \therefore \cos\theta = \pm\frac{3}{\sqrt{10}}$$

$$\sin 2\theta = 2\sin\theta\cos\theta = \frac{6}{\sqrt{10}}\sin\theta = \frac{3}{5},$$

$$\sin\theta = \pm\frac{1}{\sqrt{10}} \quad (\text{複号同順})$$

$$\therefore t = \sqrt{10}, \ \cos\theta = \pm\frac{3}{\sqrt{10}}, \ \sin\theta = \pm\frac{1}{\sqrt{10}} \quad (\text{複号同順})$$

$$\therefore z = \pm\sqrt{10}\left(\frac{3}{\sqrt{10}} + \frac{1}{\sqrt{10}}i\right) = \pm(3+i) \quad (\text{複号同順})$$

$$\frac{1}{z} = \pm\frac{1}{3+i} = \pm\frac{3-i}{10}$$

$$= \frac{3}{\sqrt{10}} \mp \frac{1}{\sqrt{10}}i \ (\text{複号同順}) \cdots ②$$

$$①, ② \text{ より}, z^3 - 16z - \frac{100}{z} = -200\left(\frac{3}{\sqrt{10}} \mp \frac{1}{\sqrt{10}}i\right)$$

$$= \mp 60 \pm 20i \ (\text{複号同順})$$

*Point*

　与式を通分すると、分母が $z$ で、分子が $z^4 - 16z^2 - 100$ となります。与えられたその条件式 $z^2 = 8 + 6i$ を変形して、$z$ の多項式の係数をすべて実数で表現するために 8 を移行し、両辺を 2 乗して整理すれば $z^4 - 16z^2 - 100 = -200$ となります。ということは、$z$ の逆数を $-200$ 倍すればよいので、あとは $z$ を具体的に極形式を利用して求めればよいのです。

---

**問題 76**

$i$ を虚数単位とし $a = \cos\dfrac{\pi}{3} + i\sin\dfrac{\pi}{3}$ とおく。また $n$ はすべての自然数にわたって動くとする。このとき

(1)　$a^n$ は何個の異なる値をとりうるか。

(2)　$\dfrac{(1-a^n)(1-a^{2n})(1-a^{3n})(1-a^{4n})(1-a^{5n})}{(1-a)(1-a^2)(1-a^3)(1-a^4)(1-a^5)}$

　　の値を求めよ。

（東京大学　1970 年）

---

(1)　ド・モアブルの定理より、$a^n = \cos\dfrac{n\pi}{3} + i\sin\dfrac{n\pi}{3}$

$\sin x,\ \cos x$ は、周期が $2\pi$ なので、$n = 6k,\ 6k+1,\ 6k+2,$ $6k+3,\ 6k+4,\ 6k+5$ のとき、$0$ 以上の整数 $k$ の値にかかわらず、$a^n$ はそれぞれ同じ値になるので $a^n$ は $6$ 個の値を取る。

(2)　$a^6 = 1$ より $(a-1)(a^5 + a^4 + a^3 + a^2 + a + 1) = 0$

$a \neq 1$ なので、$a^5 + a^4 + a^3 + a^2 + a + 1 = 0$

$a$ は、$x^5 + x^4 + x^3 + x^2 + x + 1 = 0$ の解の $1$ つで、他の $4$ つの解は $a^2, a^3, a^4, a^5$ である（図参照）。

$x^5 + x^4 + x^3 + x^2 + x + 1 = 0$ の $5$ つの解が、$a, a^2, a^3, a^4, a^5$ なので、$x^5 + x^4 + x^3 + x^2 + x + 1$ は次のように因数分解されるはずである。

$$(x-a)(x-a^2)(x-a^3)$$

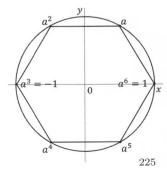

$(x - a^4)(x - a^5)$

つまり、

$x^5 + x^4 + x^3 + x^2 + x + 1$
$= (x - a)(x - a^2)(x - a^3)(x - a^4)(x - a^5)$

この式は恒等式なので、$x$ に何を代入しても成り立つので $x$ に 1 を代入すると、

$1^5 + 1^4 + 1^3 + 1^2 + 1 + 1$
$= (1 - a)(1 - a^2)(1 - a^3)(1 - a^4)(1 - a^5)$

よって、求める分数式の分母は 6。

次に、$n = 6k,\ 6k + 1,\ 6k + 2,\ 6k + 3,\ 6k + 4,\ 6k + 5$ と分類して考える。

$a^6 = 1$ なので、$a^{6k+l} = (a^6)^k a^l = a^l\ (l = 0, 1, 2, 3, 4, 5)$

$l = 0$（すなわち $n = 6k$）のとき、

$a^n = a^{2n} = a^{3n} = a^{4n} = a^{5n} = 1$ なので分子は 0。

$l = 1$（すなわち $n = 6k + 1$）のとき、$a^n = a$, $a^{2n} = a^2$, $a^{3n} = a^3$, $a^{4n} = a^4$, $a^{5n} = a^5$ なので (分母) = (分子)。

$l = 2$（すなわち $n = 6k + 2$）のとき、

$a^n = a^2$, $a^{3n} = a^6 = 1$ なので分子は 0。

$l = 3$（すなわち $n = 6k + 3$）のとき、

$a^n = a^3$, $a^{2n} = a^6 = 1$ なので分子は 0。

$l = 4$（すなわち $n = 6k + 4$）のとき、

$a^n = a^4$, $a^{3n} = a^{12} = 1$ なので分子は 0。

$l = 5$（すなわち $n = 6k + 5$）のとき、

$a^n = a^5$, $a^{2n} = a^{10} = a^4$, $a^{3n} = a^{15} = a^3$,
$a^{4n} = a^{20} = a^2$, $a^{5n} = a^{25} = a$ なので (分母) = (分子)。

以上より、$n = 6k,\ 6k + 2,\ 6k + 3,\ 6k + 4$ のとき

(与式) $= 0$、

$n = 6k + 1, 6k + 5$ のとき (与式) $= 1$

*Point*

　$a$ は $1$ の原始 $6$ 乗根（$6$ 乗してはじめて $1$ になる複素数）の $1$ つです。$6 = 2 \times 3$ と素因数分解できることに気づけば自然数 $n$ を $6$ で割ったときの余りが「$2$ の倍数または $3$ の倍数」であるときと、そうでないときで与式の値が異なると予測できます。

　前者の場合、$a^n$ はそれぞれ高々 $3$ 乗、または高々 $2$ 乗するだけで $1$ となるので、与式の分子が $0$ となり、(与式) $= 0$ が言えます。

　後者の場合、$a^n$ は $6$ 乗してはじめて $1$ なので、

$$\{a^n, a^2n, a^3n, a^4n, a^5n\} = \{a, a^2, a^3, a^4, a^5\}$$

となるので、与式の分母と分子が一致するため、(与式) $= 1$ がいえます。

# 第 10 章　数列・漸化式

　漸化式を解く際に「特性方程式」というものがあって、多くの先生が「それは答案用紙の隅っこに計算して、できれば消しておくように」と指導されることが多いと聞きます。

　例えば、$a_1 = 1$, $a_{n+1} = 3a_n - 4$ という漸化式の一般項を求める時の $\alpha = 3\alpha - 4$ というのが特性方程式で、その解の $\alpha = 2$ を用いて、元の漸化式を $a_{n+1} - 2 = 3(a_n - 2)$ と変形して $a_n - 2 = b_n$ とすれば $b_{n+1} = 3b_n$ という単純な等比数列となり簡単に求めることができます。

　ただ、このときの「$\alpha = 3\alpha - 4$ という方程式はどこからでてきたの？」と突っ込まれるのが面倒だから、たんに、「$a_{n+1} = 3a_n - 4$ を変形して $a_{n+1} - 2 = 3(a_n - 2)$ とする」と、しれっと書いておけということです。

　それはそれでいいのですが、特性方程式がどのようにしてできているのかの本質を理解せずにただ丸暗記をしていたのではちょっとした変化に対応できません。

　漸化式というのは適当にいくらでも作ることができます。例えば、

$$a_1 = 1, \quad a_{n+1} = n^2 a_n + \frac{1}{n} + 2$$

この漸化式は当然、$a_2 = 4$, $a_3 = \dfrac{37}{2}$ と、次々と項の値は決まっていきますが、一般項 $a_n$ を $n$ の式で表すことは

おそらくできないと思います。

　漸化式が解けるのは典型的な「等比・等差・階差」といった解ける形に変形できるときのみなので、ならば、その格好に変形できるはずだからそうしようという発想になります。すなわち、$a_{n+1} = pa_n + q$ を解ける形の等比数列に変形しようとすれば、$a_n$ の係数が $p$ であることから公比 $p$ の等比数列にしたい。

　したがって、$a_{n+1} - \alpha = p(a_n - \alpha)$ と変形できれば $a_n - \alpha = b_n$ として $b_{n+1} = pb_n$ という基本的な等比数列となり一般項が求められる。

　そこで、$a_{n+1} - \alpha = p(a_n - \alpha)$ を整理すると、$a_{n+1} = pa_n - p\alpha + \alpha$ つまり、$-p\alpha + \alpha = q \Leftrightarrow \alpha = p\alpha + q$ となっていればよい。

　ここに出てきた $\alpha = p\alpha + q$ という式、元の漸化式 $a_{n+1} = pa_n + q$ の $a_{n+1}$, $a_n$ の双方を $\alpha$ に置き換えた式になっています。

　これが漸化式の特製方程式のからくりです。まずは理想形に変形したいというのが出発点で、それさえ頭に入れておけば次の問題 77 も解けるはずです。

> **問題 77**
>
> $n$ を自然数とする。漸化式
> $$a_{n+2} - 5a_{n+1} + 6a_n - 6n = 0, \ a_1 = 1, \ a_2 = 1$$
> で定められる数列 $\{a_n\}$ の一般項を求めよ。
>
> (横浜市立大学　2016 年　(1), (2) は省略)

まず、与えられた漸化式を解きやすい理想の形にします。
$$a_{n+2} - \alpha a_{n+1} + f(n+1) = \beta\{a_{n+1} - \alpha a_n + f(n)\}$$
左辺にまとめると、
$$a_{n+2} - (\alpha + \beta)a_{n+1} + \alpha\beta a_n + f(n+1) - \beta f(n) = 0 \cdots ①$$

この漸化式と ① を比較すると与式は、

$\alpha + \beta = 5, \ \alpha\beta = 6$ なので、$\alpha, \beta$ は $x^2 - 5x + 6 = 0$ の 2 解となる。
$$x^2 - 5x + 6 = (x-2)(x-3) = 0$$
$$(\alpha, \beta) = (2, 3), (3, 2)$$

次に、$f(n) = pn + q$ （$p, g$ は定数）とおくと、
$$f(n+1) - \beta f(n) = p(n+1) + q - 3pn - 3q$$
$$= -6n \ (\beta = 3 \text{ のとき})$$

または、
$$f(n+1) - \beta f(n) = p(n+1) + q - 2pn - 2q$$
$$= -6n \ (\beta = 2 \text{ のとき})$$

$n$ についての恒等式 $-2pn + p - 2q = -6n$ を係数比較して、
$$p = 3, \ q = \frac{3}{2} \quad \therefore f(n) = 3n + \frac{3}{2} \ (\beta = 3 \text{ のとき})$$

$n$ についての恒等式 $-pn+p-q = -6n$ を係数比較して、

$p = 6,\ q = 6$　$\therefore f(n) = 6n + 6$（$\beta = 2$ のとき）

ここで得られた $\alpha,\ \beta,\ f(n)$ の組を ① に代入すると、2 本の式ができる。

$$a_{n+2}-2a_{n+1}+3(n+1)+\frac{3}{2} = 3\left(a_{n+1}-2a_n+3n+\frac{3}{2}\right)$$

$$a_{n+2} - 3a_{n+1} + 6(n+1) + 6 = 2(a_{n+1} - 3a_n + 6n + 6)$$

以上より、それぞれの漸化式を解くと、

$$a_{n+1} - 2a_n + 3n + \frac{3}{2} = \frac{7}{2} \cdot 3^{n-1}$$

$$a_{n+1} - 3a_n + 6n + 6 = 10 \cdot 2^{n-1}$$

2 式の左辺同士、右辺同士を引き算して、

$$a_n - 3n - \frac{9}{2} = \frac{7}{2} \cdot 3^{n-1} - 10 \cdot 2^{n-1}$$

$$\therefore a_n = \frac{7}{6} \cdot 3^n - 5 \cdot 2^n + 3n + \frac{9}{2}$$

*Point*

特性方程式とは漸化式を解ける形（等比型、等差型、階差型）に変形するための便宜的な式なのです。それによって、なぜ理想的な漸化式に変形できるのかという理由を理解しておけば、ちょっとしたひねりのある問題にも対応できます。

## 問題 78

数列 $\{a_n\}$ が

$$a_1 = 36, \ a_{n+1} = 2a_n + 2^{n+3}n - 17 \cdot 2^{n+1}$$
$$(n = 1, 2, 3, \cdots\cdots)$$

により定められているとする。

(1) $b_n = \dfrac{a_n}{2^n}$ とおくとき $b_n$ と $b_{n+1}$ の満たす関係式を導き、$\{a_n\}$ の一般項を求めよ。

(2) $a_n > a_{n+1}$ となるような $n$ の値の範囲および $a_n$ が最小となるような $n$ の値を求めよ。

(3) $S_n = a_1 + a_2 + \cdots\cdots + a_n$ とおくとき $S_n$ が最小となるような $n$ の値をすべて求めよ。

(金沢大学　2003 年)

(1) $a_{n+1} = 2a_n + 2^{n+3}n - 17 \cdot 2^{n+1}$ の両辺を $2^{n+1}$ で割ると、

$$\frac{a_{n+1}}{2^{n+1}} = \frac{a_n}{2^n} + 4n - 17$$

$b_n = \dfrac{a_n}{2^n}$ とおくと、$b_{n+1} = b_n + 4n - 17$

$b_{n+1} - b_n = 4n - 17$ なので、階差数列の一般項を求める公式を用いて、$b_1 = \dfrac{a_1}{2^1} = 18$

$n \geqq 2$ のとき

$$b_n = b_1 + \sum_{k=1}^{n-1} (4k - 17)$$

$$= 18 + 2n(n-1) - 17(n-1)$$

$$= 2n^2 - 19n + 35$$

これは $n = 1$ のときも成り立つ。

$$\therefore a_n = 2^n(2n^2 - 19n + 35)$$

(2)  (1) より、

$$a_{n+1} = 2^{n+1}\{2(n+1)^2 - 19(n+1) + 35\}$$

$$= 2^{n+1}(2n^2 - 15n + 18)$$

ここで、$a_n > a_{n+1}$ となるには、

$$a_n - a_{n+1}$$

$$= 2^n(2n^2 - 19n + 35) - 2^{n+1}(2n^2 - 15n + 18)$$

$$= 2^n(2n^2 - 19n + 35 - 4n^2 + 30n - 36)$$

$$= 2^n(-2n^2 + 11n - 1) > 0$$

$$\Leftrightarrow 2n^2 - 11n + 1 < 0 \ (\because 2^n > 0)$$

$$\therefore \frac{11 - \sqrt{113}}{4} < n < \frac{11 + \sqrt{113}}{4}$$

$0 < \dfrac{11 - \sqrt{113}}{4} < 1,\ 5 < \dfrac{11 + \sqrt{113}}{4} < 6$ なので、

$a_n > a_{n+1}$ となる $n$ は $1 \leqq n \leqq 5$

また、$a_n$ が最小となるときは、$n = 6$

(3)  $a_n = 2^n(2n^2 - 19n + 35) \leqq 0$ となる $n$ は、

$$2n^2 - 19n + 35 \leqq 0,\ (2n - 5)(n - 7) \leqq 0$$

$$\frac{5}{2} \leqq n \leqq 7$$

よって、$3 \leqq n \leqq 6$ のとき $a_n < 0$, $n = 7$ のとき、

$a_n = 0$　このことより、

$S_1 < S_2 > S_3 > S_4 > S_5 > S_6 = S_7 < S_8 < \cdots$

$S_1$ と $S_6$ $(= S_7)$ の大小関係は、

$a_1 = 36,\ a_2 = 20,\ a_3 = -32$ なので、

$S_1 = 36,\ S_3 = 24 > S_6\ (= S_7)$

よって、$S_n$ が最小となる $n$ は $n = 6, 7$

## *Point*

$a_n$ と $a_{n+1}$ との大小を比較する場合には、$a_{n+1} - a_n$ の正負を検討してみましょう。$a_n > 0$ のときは、$\dfrac{a_{n+1}}{a_n}$ が 1 より大きいか、小さいかを検討することもできます。

---

### 問題 79

$n$ は正の整数とする。$x^{n+1}$ を $x^2 - x - 1$ で割った余りを $a_n x + b_n$ とおく。

(1)　数列 $a_n, b_n$ $n = 1, 2, 3, \cdots\cdots$ は
$$\begin{cases} a_{n+1} = a_n + b_n \\ b_{n+1} = a_n \end{cases}$$
を満たすことを示せ。

(2)　$n = 1, 2, 3, \cdots\cdots$ に対して、$a_n,\ b_n$ は共に正の整数で、互いに素であることを証明せよ。

(東京大学　2002 年)

---

(1)　$x^{n+1}$ を $x^2 - x - 1$ で割った商を $f(x)$ とすると、余りが $a_n x + b_n$ なので、$x^{n+1} = (x^2 - x - 1)f(x) + a_n x + b_n$
この両辺に $x$ をかけると、

$$x^{n+2} = (x^2 - x - 1)f(x)x + a_n x^2 + b_n x$$
$$= (x^2 - x - 1)f(x)x + a_n(x^2 - x - 1)$$
$$+ a_n x + a_n + b_n x$$
$$= (x^2 - x - 1)f(x)x + a_n(x^2 - x - 1)$$
$$+ (a_n + b_n)x + a_n$$
$$= (x^2 - x - 1)\{f(x)x + a_n\} + (a_n + b_n)x + a_n$$

したがって、$x^{n+2}$ を $x^2 - x - 1$ で割った余りは、$(a_n + b_n)x + a_n$ である。

$$a_{n+1} = a_n + b_n$$
$$b_{n+1} = a_n$$

(2)  $n = 1$ のとき、$x^2 = (x^2 - x - 1) \times 1 + x + 1$

$a_1 = 1, b_1 = 1$ でともに自然数。

$n = k$ のとき $a_k, b_k$ ともに自然数であると仮定すると、
$$a_{n+1} = a_n + b_n \qquad b_{n+1} = a_n$$
なので、$a_{k+1} = a_k + b_k \cdots$ 自然数

$\qquad b_{n+k} = a_k \cdots$ 自然数 となり、帰納的にすべての $n$ において $a_n, b_n$ は自然数である。

次に、$a_{k+1}, b_{k+1}$ が 2 以上の公約数 $g$ をもつと仮定すると、ある自然数 $a', b'$ が存在して、
$$a_{k+1} = ga' = a_k + b_k \qquad b_{n+k} = gb' = a_k$$
と書ける。

2 式の左辺、右辺をそれぞれ引き算して、$g(a' - b') = b_k$ となり、$b_k$ も $g$ を約数にもつ。ある自然数 $b''$ が存在して、
$$b_k = gb'' \quad ga' - b_k = g(a' - b'') = a_k \text{ なので、} a_k \text{ も } 2$$

以上の公約数 $g$ を約数にもつ。

　以下、帰納的にさかのぼっていけば、$n = 1$ でも $a_1, b_1$ は 2 以上の公約数 $g$ をもつことになるが、$a_1 = 1, b_1 = 1$ なので矛盾する。したがって、$a_{k+1}, b_{k+1}$ が 2 以上の公約数 $g$ をもつと仮定したことが誤りなので、すべての $a_n$ と $b_n$ は互いに素である。

*Point*

　この問題では、$a_{k+1}, b_{k+1}$ が 2 以上の公約数 $g$ をもつと仮定すると、$a_k, b_k$ も公約数 $g$ をもつことを示す必要がある。さかのぼって考えると、これは $a_1 = 1$ と $b_1 = 1$ が、2 以上の公約数 $g$ をもつことになり矛盾してしまう、という普通の数学的帰納法とは、逆の手法を用いるところがこの出題のおもしろさです。

---

**問題 80**

　数列 $\{a_n\}$ を
$$a_1 = 1, \quad a_{n+1} = 27^{n^2 - 3n - 9} a_n \quad (n = 1, 2, 3, \cdots)$$
で定める。このとき、次の問に答えよ。

(1)　数列 $\{a_n\}$ の一般項を求めよ。

(2)　$a_n$ の値が最小となるときの $n$ の値を求めよ。

（東京海洋大学　2013 年）

---

(1)　$a_1 = 1 > 0$, $a_2 = 27^{2^2 - 3 \cdot 2 - 9} > 0$ より、以降、帰納的に $a_n > 0$ なので、$a_{n+1} = 27^{n^2 - 3n - 9} a_n$ の両辺に、$a$ ($a > 0$, $a \neq 1$) を底とする対数をとる（底 $a$ はとりあえず

定めない）。

$$\log_a a_{n+1} = \log_a 27^{n^2-3n-9} a_n$$
$$= (n^2 - 3n - 9)\log_a 27 + \log_a a_n \cdots ①$$

$\log_a 27$ が整数となると都合がいいので、真数が $27 = 3^3$ より、底 $a$ は 3 とする。

$\log_3 a_n = b_n$ とすると、① は、

$$b_{n+1} = 3(n^2 - 3n - 9) + b_n$$
$$b_{n+1} - b_n = 3(n^2 - 3n - 9)$$

階差数列が $n$ の式で与えられているので、$n \geq 2$ において、

$$b_n = b_1 + \sum_{k=1}^{n-1} 3(k^2 - 3k - 9)$$
$$= 0 + \frac{3(n-1)n(2n-1)}{6} - \frac{9(n-1)n}{2} - 3 \cdot 9(n-1)$$
$$= \frac{(n-1)(2n^2 - 10n - 54)}{2}$$
$$= (n-1)(n^2 - 5n - 27)$$
$$\log_3 a_n = (n-1)(n^2 - 5n - 27)$$
$$a_n = 3^{(n-1)(n^2-5n-27)}$$

(2)　指数関数 $y = 3^x$ は単調増加関数なので、

$a_n = 3^{(n-1)(n^2-5n-27)}$ の最小値を与える $n$ は、

$\log_3 a_n = (n-1)(n^2 - 5n - 27)$ の最小値を与える $n$ に一致するので、これを求めればよい。

$$\log_3 a_{n+1} - \log_3 a_n = 3(n^2 - 3n - 9)$$

$$= 3 \left( n - \frac{3 - 3\sqrt{5}}{2} \right) \left( n - \frac{3 + 3\sqrt{5}}{2} \right)$$

より、$n$ が正の整数であることに注意すれば、

$$\log_3 a_{n+1} - \log_3 a_n > 0 \ \Leftrightarrow \ n \geqq 5$$

$$\log_3 a_{n+1} - \log_3 a_n < 0 \ \Leftrightarrow \ 1 \leqq n \leqq 4$$

である。よって、

$$\log_3 a_1 > \log_3 a_2 > \log_3 a_3 > \log_3 a_4 > \log_3 a_5 >$$

$$\log_3 a_6 < \log_3 a_7 < \cdots$$

となる。

これより、$\log_3 a_n$ は、$n = 5$ のとき最小となる。

したがって、$a_n$ の最小値を与える $n$ は、$n = 5$

*Point*

$\log_3 a_n$ は $n$ の3次式ですから、$n$ で微分して、増減表を書いて……と解きたくなりますが、$n$ は自然数ですので、$\log_3 a_n$ は $n$ について離散的な関数なのです。そのため、$\log_3 a_n$ を $n$ で微分することはできませんが、それに相当する、$\log_3 a_{n+1} - \log_3 a_n$ の符号を調べることで、増減表に相当する、$\{\log_3 a_n\}$ の大小比較の不等式を書き下ろし、$\log_3 a_n$ の値が最小となるときの $n$ の値（この問題では、$a_n$ の値が最小となるときの $n$ の値に一致します）を求めます。

**問題 81**

数列 $\{a_n\}$ を $a_1 = 2$, $a_{n+1} = \dfrac{4a_n + 1}{2a_n + 3}$

$(n = 1, 2, 3, \cdots)$ で定める。

このとき、以下の問いに答えよ。

(1) 2つの実数 $\alpha$ と $\beta$ に対して、$b_n = \dfrac{a_n + \beta}{a_n + \alpha}$

$(n = 1, 2, 3, \cdots)$ とおく。$\{b_n\}$ が等比数列となるような $\alpha$ と $\beta\,(\alpha > \beta)$ を 1 組求めよ。

(2) 数列 $\{a_n\}$ の一般項 $a_n$ を求めよ。

(東北大学　　2008 年)

(1) $b_{n+1} = \dfrac{a_{n+1} + \beta}{a_{n+1} + \alpha} = \dfrac{\dfrac{4a_n + 1}{2a_n + 3} + \beta}{\dfrac{4a_n + 1}{2a_n + 3} + \alpha}$

分母・分子に $2a_n + 3$ をかけて、

$$= \frac{(4 + 2\beta)a_n + 1 + 3\beta}{(4 + 2\alpha)a_n + 1 + 3\alpha}$$

$4 + 2\alpha \neq 0$, $4 + 2\beta \neq 0$ として、

$$= \frac{4 + 2\beta}{4 + 2\alpha} \times \frac{a_n + \dfrac{1 + 3\beta}{4 + 2\beta}}{a_n + \dfrac{1 + 3\alpha}{4 + 2\alpha}}$$

ここで、$\dfrac{1 + 3\alpha}{4 + 2\alpha} = \alpha$, $\dfrac{1 + 3\beta}{4 + 2\beta} = \beta$ となる $\alpha, \beta$ を

定めると、$b_{n+1} = \dfrac{4 + 2\beta}{4 + 2\alpha} \times \dfrac{a_n + \beta}{a_n + \alpha} = \dfrac{2 + \beta}{2 + \alpha} \times b_n$

となり、

数列 $\{b_n\}$ は公比 $\dfrac{2+\beta}{2+\alpha}$ の等比数列となる。

$\alpha, \beta$ は $\dfrac{1+3\alpha}{4+2\alpha} = \alpha, \dfrac{1+3\beta}{4+2\beta} = \beta$ なので、

$\dfrac{1+3x}{4+2x} = x$ の2解。

$$2x^2 + x - 1 = 0, \quad (2x-1)(x+1) = 0, \quad x = -1, \frac{1}{2}$$

$\alpha > \beta$ より $\alpha = \dfrac{1}{2}, \quad \beta = -1$

(2) (1) より、$b_{n+1} = \dfrac{2}{5} b_n$

$b_1 = \dfrac{a_1 - 1}{a_1 + \dfrac{1}{2}} = \dfrac{2}{5}$ なので、

$b_n = \left(\dfrac{2}{5}\right)^n$ また、

$b_n = \dfrac{a_n - 1}{a_n + \frac{1}{2}} = \left(\dfrac{2}{5}\right)^n$

$\therefore a_n - 1 = \left(\dfrac{2}{5}\right)^n \left(a_n + \dfrac{1}{2}\right)$

$a_n \left\{ 1 - \left(\dfrac{2}{5}\right)^n \right\} = 1 + \dfrac{1}{2}\left(\dfrac{2}{5}\right)^n$

$a_n = \dfrac{1 + \dfrac{1}{2}\left(\dfrac{2}{5}\right)^n}{1 - \left(\dfrac{2}{5}\right)^n} = \dfrac{2 \cdot 5^n + 2^n}{2 \cdot 5^n - 2^{n+1}}$

*Point*

問題の誘導に従っていけば解ける問題ですが、腕試しに (2) だけでも解けるか試してみてもいいでしょう。

---

**問題 82**

$$\alpha = \sqrt[3]{7 + 5\sqrt{2}}, \ \beta = \sqrt[3]{7 - 5\sqrt{2}}$$

とおく。すべての自然数 $n$ に対して、$\alpha^n + \beta^n$ は自然数であることを示せ。

(一橋大学　2009 年)

---

$(1 \pm \sqrt{2})^3 = 7 \pm 5\sqrt{2}$ (複号同順) であることに気がついてしまえば、それを用いて解くことができます。しかし、これは気づきにくいため、一般的な解法を以下に示します。

$$\alpha^3 + \beta^3 = 7 + 5\sqrt{2} + 7 - 5\sqrt{2} = 14$$

$$\alpha\beta = \left(\sqrt[3]{7 + 5\sqrt{2}}\right)\left(\sqrt[3]{7 - 5\sqrt{2}}\right)$$

$$= \sqrt[3]{49 - 50} = \sqrt[3]{-1} = -1$$

$$\alpha^3 + \beta^3 = (\alpha + \beta)^3 - 3\alpha\beta(\alpha + \beta)$$

$\alpha + \beta = t$ とすると、

$$14 = t^3 + 3t \quad \Leftrightarrow \quad t^3 + 3t - 14 = 0$$

$$(t - 2)(t^2 + 2t + 7) = 0$$

$t^2 + 2t + 7 = 0$ は実数解をもたないので、

$$t = \alpha + \beta = 2 \cdots ①$$

$\alpha^n + \beta^n$ は自然数であることの証明

① より $n = 1$ のとき $\alpha + \beta = 2$ で自然数なので正しい。

ところで、$\alpha + \beta = 2$, $\alpha\beta = -1$ なので、$\alpha, \beta$ は $x^2 - 2x - 1 = 0$ の 2 解である。

$\alpha^2 - 2\alpha - 1 = 0$ の両辺に $\alpha^n$ をかけると、

$\alpha^{n+2} - 2\alpha^{n+1} - \alpha^n = 0$　同様に、$\beta^{n+2} - 2\beta^{n+1} - \beta^n = 0$

$\alpha^n + \beta^n = A_n$ として、上の 2 式の左辺、右辺同士を足し算すれば、

$$A_{n+2} - 2A_{n+1} - A_n = 0 \quad \Leftrightarrow \quad A_{n+2} = 2A_{n+1} + A_n$$

$n = 1$ のとき、$A_1 = 2$

$n = 2$ のとき、$A_2 = \alpha^2 + \beta^2$

$\quad = (\alpha + \beta)^2 - 2\alpha\beta = 4 + 2 = 6$

$A_{n+2} = 2A_{n+1} + A_n$ なので、以下帰納的にすべての自然数 $n$ において、$A_n = \alpha^n + \beta^n$ は自然数である。

*Point*

この問題の解法を応用すると、$\sqrt[3]{2 + \sqrt{5}}$ の 3 乗根を外すことができます。ぜひ、トライしてみてください。

ヒント：$\sqrt[3]{2 - \sqrt{5}}$ を用意する。

答え：$\dfrac{\sqrt{5} + 1}{2}$

---

**問題 83**

次の条件を満たす $n$ を 100 で割った余りは $\boxed{\quad ア \quad}$ である。

$$n \le (5 + 2\sqrt{5})^{2019} < n + 1$$

（早稲田大学　2019 年　一部問題の体裁を改変）

$n$ を 100 で割った余りとは要するに、$(5+2\sqrt{5})^{2019}$ の整数部分の下 2 桁のことである。

ここで、$\alpha = 5 + 2\sqrt{5}$ として、$\alpha$ と共役な無理数である $5 - 2\sqrt{5}$ を $\beta$ とする。

$\alpha + \beta = 10,\ \alpha\beta = 5$ なので、$\alpha,\ \beta$ は $x^2 - 10x + 5 = 0$ の 2 つの解である。

したがって、$\alpha^2 - 10\alpha + 5 = 0$ の両辺に $\alpha^n$ をかけると、

$\alpha^{n+2} - 10\alpha^{n+1} + 5\alpha^n = 0$

同様に、$\beta^{n+2} - 10\beta^{n+1} + 5\beta^n = 0$

$\alpha^n + \beta^n = A_n$ として 2 式の左辺・右辺同士を足し算すれば、

$$A_{n+2} - 10A_{n+1} + 5A_n = 0$$
$$A_{n+2} = 10A_{n+1} + 5A_n$$
$$A_1 = 10$$
$$A_2 = \alpha^2 + \beta^2 = (\alpha + \beta)^2 - 2\alpha\beta = 100 - 10 = 90$$

以下 mod 100 で、

$$A_3 \equiv 10 \times 90 - 5 \times 10 \equiv 50$$
$$A_4 \equiv 10 \times 50 - 5 \times 90 \equiv 50$$
$$A_5 \equiv 10 \times 50 - 5 \times 50 \equiv 50$$

以下、帰納的に $A_n \equiv 50\ (n \geq 3)$

したがって、$A_{2019} \equiv 50$

$$A_{2019} = \alpha^{2019} + \beta^{2019}$$

$\beta = 5 - \sqrt{20} \approx 0.\cdots$ なので

$$0 < \beta < 1 \ \Leftrightarrow\ 0 < \beta^n < 1$$
$$A_{2019} \equiv 50 \equiv \alpha^{2019} + \beta^{2019}$$

以上より、$\alpha^{2019}$ の下 2 桁、$\boxed{\quad ア \quad}$ は 49

*Point*

誘導なしで解答にたどり着くのはなかなか難しい問題です。しかし、共役な無理数を用いた解法を理解していれば、自力で共役な無理数を用意することができるようになります。

---

**問題 84**

無限級数
$$\frac{r}{1-r^2} + \frac{r^2}{1-r^4} + \frac{r^4}{1-r^8} + \cdots\cdots + \frac{r^{2^{n-1}}}{1-r^{2^n}} + \cdots\cdots$$
の和を求めよ。ただし、$|r| \neq 1$ とする。

(東京大学　1962 年)

---

ここでも部分分数分解の手法が使えないかと考えるのがいいでしょう。

$$\frac{r}{1-r^2} = \frac{1}{1-r} - \frac{1}{1-r^2},$$

$$\frac{r^2}{1-r^4} = \frac{1}{1-r^2} - \frac{1}{1-r^4},$$

$$\frac{r^{2^{n-1}}}{1-r^{2^n}} = \frac{1}{1-r^{2^{n-1}}} - \frac{1}{1-r^{2^n}}$$

$$\frac{r}{1-r^2} + \frac{r^2}{1-r^4} + \frac{r^4}{1-r^8} + \cdots + \frac{r^{2^{n-1}}}{1-r^{2^n}}$$

$$= \frac{1}{1-r} - \frac{1}{1-r^2} + \frac{1}{1-r^2} - \frac{1}{1-r^4} + \cdots$$

$$+ \frac{1}{1-r^{2^{n-2}}} - \frac{1}{1-r^{2^{n-1}}} + \frac{1}{1-r^{2^{n-1}}} - \frac{1}{1-r^{2^n}}$$

$$= \frac{1}{1-r} - \frac{1}{1-r^{2^n}}$$

∴ $|r| < 1$ のとき

$$\sum_{n=1}^{\infty} \frac{r^{2^{n-1}}}{1-r^{2^n}} = \frac{1}{1-r} - 1 = \frac{r}{1-r}$$

∴ $|r| > 1$ のとき

$$\sum_{n=1}^{\infty} \frac{r^{2^{n-1}}}{1-r^{2^n}} = \frac{1}{1-r} - 0 = \frac{1}{1-r}$$

*Point*

部分分数分解して、$n$-部分和を求めることができたら、あとは $\lim_{x \to \infty} r^{2^n}$ を求める問題に帰着されます。

$n \to \infty$ のとき $2^n \to \infty$ ですから、

$|r| < 1$ のとき　$\lim_{x \to \infty} r^{2^n} = 0,$

$|r| > 1$ のとき　$\lim_{x \to \infty} r^{2^n} = \infty$ となります。

---

**問題 85**

漸化式 $c_{n+1} = 8c_n - 7$ $(n = 1, 2, 3, \cdots)$ を満たす数列 $c_1, c_2, c_3, \cdots$ を考える。数列 $c_1, c_2, c_3, \cdots$ に素数がただ 1 つだけ現れるような正の整数 $c_1$ を 2 つ求めよ。

(東京工業大学　特別入試　2009 年)

---

まず、漸化式を解かなくても、$c_{n+1} = 8c_n - 7$ であることから、$c_1 = 7$ ならば、$c_n$ はすべて 7 の倍数になることに気づくでしょう。

$c_1 = 7$ の場合、$n = k$ のとき $c_k = 7m$ （$m$ は正の整数）ならば、$n = k+1$ のとき、$c_{k+1} = 8c_k - 7 = 8 \cdot 7m - 7 = 7(8m - 1)$ なので $c_{k+1}$ も 7 の倍数。したがって、帰納的にすべての $c_n$ は 7 の倍数となる。

数列 $\{c_n\}$ は単調増加の数列ですべての項が 7 の倍数なので、7 の倍数で唯一素数である、$7 \ (= c_1)$ のみが素数の項であり条件を満たす。

次に、漸化式 $c_{n+1} = 8c_n - 7$ を解く。

$c_{n+1} - 1 = 8(c_n - 1)$ なので、$c_n - 1 = (c_1 - 1)8^{n-1}$

$$\therefore c_n = (c_1 - 1)8^{n-1} + 1 = (c_1 - 1)2^{3(n-1)} + 1$$

$c_1 - 1 = 1$ のとき、

$$c_n = 2^{3(n-1)} + 1 = (2^{n-1} + 1)\{2^{2(n-1)} - 2^{n-1} + 1\}$$

このとき、$n \geqq 2$ では、$2^{n-1} + 1 \geqq 3$

$$2^{2(n-1)} - 2^{n-1} + 1$$
$$= 2^{n-1}(2^{n-1} - 1) + 1 \geqq 2 \cdot (2 - 1) + 1 = 3$$

なので、$c_1 = 2$ 以外の項はすべて合成数である。

以上より、条件を満たす正の整数 $c_1$ は、$c_1 = 2, 7$

*Point*

この問題の条件を満たす $c_1$ は 2 つだけと思いますが、そのことを示す必要はありません。1 つの項（初項 $c_1$ であるとは予測できます）以外は、すべて合成数であることを示せばよいのです。

**問題 86**

$a = \dfrac{2^8}{3^4}$ として、数列 $b_k = \dfrac{(k+1)^{k+1}}{a^k k!}$

$(k = 1, 2, 3, \cdots)$ を考える。

(1) 関数 $f(x) = (x+1)\log\left(1 + \dfrac{1}{x}\right)$ は $x > 0$ で

減少することを示せ。

(2) 数列 $\{b_k\}$ の項の最大値 $M$ を既約分数で表し、

$b_k = M$ となる $k$ をすべて求めよ。

(東京工業大学　2019 年)

(1)　$f(x) = (x+1)\log\left(1 + \dfrac{1}{x}\right)$ を微分します。

$$f'(x) = \log\left(1 + \frac{1}{x}\right) + (x+1) \cdot \frac{-\frac{1}{x^2}}{1 + \frac{1}{x}}$$

$$= \log\left(1 + \frac{1}{x}\right) - \frac{1}{x}$$

$\dfrac{1}{x} = t\ (> 0)$ として、$g(t) = \log(1+t) - t\ (t > 0)$ とお

くと、

$\displaystyle\lim_{t \to +0} g(t) = 0$ で、$g'(t) = \dfrac{1}{1+t} - 1 < 0\ (t > 0)$ な

ので、

　　$g(t) < 0\ (t > 0)$

　　$\therefore f'(x) < 0\ (x > 0)$

したがって、$f(x)$ は $x > 0$ で減少する。

(2)　$b_k > 0$ なので、$\dfrac{b_k}{b_{k-1}} = \dfrac{(k+1)^{k+1}}{a^k k!} \cdot \dfrac{a^{k-1}(k-1)!}{k^k}$

248

$$= \frac{(k+1)^{k+1}}{akk^k}$$

$$= \frac{1}{a} \cdot \frac{(k+1)^{k+1}}{k^{k+1}} = \frac{1}{a} \left( 1 + \frac{1}{k} \right)^{k+1} \quad (k \geq 2)$$

(1) より $f(x) = (x+1) \log \left( 1 + \dfrac{1}{x} \right) = \log \left( 1 + \dfrac{1}{x} \right)^{x+1}$

は、$x > 0$ で減少なので、$\dfrac{1}{a} \left( 1 + \dfrac{1}{k} \right)^{k+1}$ $(k \geq 2)$ も減少である $(a > 0)$。

次に、$k = 2, 3, 4$ で $\dfrac{b_k}{b_{k-1}} = \dfrac{1}{a} \left( 1 + \dfrac{1}{k} \right)^{k+1}$ の値を調べていく。

$$k = 2 \quad \frac{3^4}{2^8} \cdot \left( \frac{3}{2} \right)^3 = \frac{3^7}{2^{11}}$$

$$k = 3 \quad \frac{3^4}{2^8} \cdot \left( \frac{4}{3} \right)^4 = 1$$

$$k = 4 \quad \frac{3^4}{2^8} \cdot \left( \frac{5}{4} \right)^5 = \frac{3^4 5^4}{2^{18}}$$

$\dfrac{b_3}{b_2} = 1$ で $\dfrac{b_k}{b_{k-1}} = \dfrac{1}{a} \left( 1 + \dfrac{1}{k} \right)^{k+1}$ は減少なので、

$$\frac{b_2}{b_1} > 1, \ \frac{b_3}{b_2} = 1, \ \frac{b_4}{b_3} < 1$$

$$\therefore b_1 < b_2 = b_3 > b_4 > b_5 > \cdots$$

よって、数列 $b_k = \dfrac{(k+1)^{k+1}}{a^k k!}$ が最大となるのは、

$k = 2, 3$ のときなので、

$$M = \frac{(2+1)^{2+1}}{\left(\dfrac{2^8}{3^4}\right)^2 2!} = \frac{3^{11}}{2^{17}}$$

*Point*

（2）において、$b_k - b_{k-1}$ $(k \geqq 2)$ の符号を調べてもよいのですが、$\{b_k\}$ は正項数列（すべての項が正である数列）であることと、一般項の式の形から、$\dfrac{b_k}{b_{k-1}}$ $(k \geqq 2)$ と 1 との大小比較を行うほうが楽ですし、（1）の結果を用いることができます。

# 第11章　三角関数

　三角関数には、余弦定理、正弦定理、加法定理、倍角・3倍角・半角の公式、合成公式 (sin, cos)、和積の公式、積和の公式など、たくさん公式があり、どうしても暗記に頼りがちな印象を受けます。これらは、自分で理解して導けるようにしておけば、いざとなればその場で導出できる安心感があります。

　上に列挙した公式のうち、加法定理よりあとの公式は、すべて加法定理をもとに導くことができるものです。本書の「まえがき」でもふれたように、東京大学では、この加法定理を証明する問題が出題されたことがあります。

　新制度元年となった、2021 年の共通テストでは、cos の合成公式に関する問題が出題されました。合成公式は、ほとんどの場合、教科書に書かれている sin の合成公式を覚えておけば事足ります。そのため、この出題に戸惑った方も多かったのではないでしょうか。

　まず、加法定理を書きます。

$$\cos(\theta + \alpha) = \cos\theta \cos\alpha - \sin\theta \sin\alpha \cdots ①$$

　次に、以下のような三角形を描いてください。

$$\cos \alpha = \frac{a}{\sqrt{a^2 + b^2}},$$

$$\sin \alpha = \frac{b}{\sqrt{a^2 + b^2}}$$

を ① に代入すると、

$$\cos(\theta + \alpha)$$

$$= \frac{a}{\sqrt{a^2 + b^2}} \cos \theta$$

$$- \frac{b}{\sqrt{a^2 + b^2}} \sin \theta$$

$$= \frac{1}{\sqrt{a^2 + b^2}} (a \cos \theta - b \sin \theta)$$

この両辺に $\sqrt{a^2 + b^2}$ をかければ、

$$\sqrt{a^2 + b^2} \cos(\theta + \alpha) = a \cos \theta - b \sin \theta$$

と簡単に cos の合成公式は導けるのです。

---

**問題87**

(1)　$x = \sin 10°$ は 3 次方程式 $8x^3 - 6x + 1 = 0$ の根であることを証明せよ。

(2)　この 3 次方程式の 2 根を求めよ。

（九州大学　1975 年）

---

$\sin 30° = \sin(3 \times 10°)$ なので 3 倍角の公式を利用します。

3 倍角の公式は　$\sin 3\theta = \sin(2\theta + \theta)$ として加法定理を用いてももちろん導けますが、ド・モアブルの定理を用いれば、$\sin 3\theta$ と $\cos 3\theta$ がいっぺんに導けますし、（パスカルの三角形と併用して）何倍角でも求められて便利です。

$$(\cos\theta + i\sin\theta)^3 = \cos 3\theta + i\sin 3\theta$$

なので、左辺を普通に展開すると実部が $\cos 3\theta$、虚部が $\sin 3\theta$ となります。

$$(\cos\theta + i\sin\theta)^3$$

$$= \cos^3\theta + i \cdot 3\cos^2\theta\sin\theta - 3\cos\theta\sin^2\theta - i\sin^3\theta$$

$$= \cos^3\theta - 3\cos\theta\sin^2\theta + i(3\cos^2\theta\sin\theta - \sin^3\theta)$$

$$\cos 3\theta = \cos^3\theta - 3\cos\theta\sin^2\theta = 4\cos^3\theta - 3\cos\theta$$

$$\sin 3\theta = 3\cos^2\theta\sin\theta - \sin^3\theta = -4\sin^3\theta + 3\sin\theta$$

(1)　$\sin 30° = -4\sin^3 10° + 3\sin 10°$

$\sin 10° = x$ とすれば、

$$\frac{1}{2} = -4x^3 + 3x \iff 8x^3 - 6x + 1 = 0$$

したがって、$\sin 10°$ は $8x^3 - 6x + 1 = 0$ の根である。

(2) $8x^3 - 6x + 1 = 0$ は $x = \sin 10°$ を根にもつので、
$8x^3 - 6x + 1$ は $(x - \sin 10°)$ を因数にもつ。

$8x^3 - 6x + 1$

$\quad = 2(x - \sin 10°)(4x^2 + 4x \sin 10° + 4\sin^2 10° - 3) = 0$

$\quad x = \sin 10°$

または、

$$x = \frac{-2\sin 10° \pm \sqrt{4\sin^2 10° - 4(4\sin^2 10° - 3)}}{4}$$

$$\quad = \frac{-2\sin 10° \pm \sqrt{12\cos^2 10°}}{4}$$

$$\quad = -\frac{1}{2}\sin 10° \pm \frac{\sqrt{3}}{2}\cos 10° \quad \text{(複号同順)}$$

合成の公式 $a\sin\theta + b\cos\theta = \sqrt{a^2 + b^2}\sin(\theta + \alpha)$ を用いて、

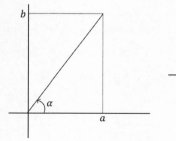 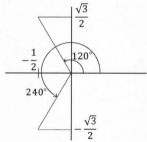

$$-\frac{1}{2}\sin 10° + \frac{\sqrt{3}}{2}\cos 10° = \sin(10° + 120°) = \sin 130°$$

$$-\frac{1}{2}\sin 10° - \frac{\sqrt{3}}{2}\cos 10° = \sin(10° + 240°) = \sin 250°$$

なので、求める 3 次方程式の他の 2 根は、

$$x = \sin 130°, \ \sin 250°$$

*Point*

$8x^3 - 6x + 1$ を組立除法を用いて因数分解するとき、$x = \sin 10°$ が $8x^3 - 6x + 1 = 0$ の根の 1 つである、すなわち $8\sin 10° - 6\sin 10° + 1 = 0$ であること（$x - \sin 10°$ で割ったときの余りは $\sin 10°$ の 3 次式となるも、その値は 0 であること）を忘れないでください。また、$8x^3 - 6x + 1 = 0$ の $x = \sin 10°$ 以外の 2 根を $-\dfrac{1}{2}\sin 10° \pm \dfrac{\sqrt{3}}{2}\cos 10°$ のまま放置せず、sin の合成の公式を用いて、$x = \sin 130°, \ \sin 250°$ のように、sin のみを使ってまとめるようにしましょう。$8x^3 - 6x + 1 = 0$ の 3 根は $\sin 10°, \ \sin 130°, \ \sin 250°$ と 10° から 120° ずつ増やし、その各々に sin をほどこした値となっています。

---

**問題 88**

$0 \leq \theta < 90°$ とする。$x$ についての 4 次方程式
$\{x^2 - 2(\cos\theta)x - \cos\theta + 1\}\{x^2 + 2(\tan\theta)x + 3\} = 0$
は虚数解を少なくとも 1 つ持つことを示せ。

（京都大学　2014 年）

---

与えられた 4 次方程式より

$$x^2 - 2(\cos\theta)x - \cos\theta + 1 = 0 \cdots ①$$

または、

$$x^2 + 2(\tan\theta)x + 3 = 0 \cdots ②$$

$x$ の 2 次方程式 ①，② の判別式をそれぞれ $D_1$，$D_2$ とすると、

$$\frac{D_1}{4} = \cos^2\theta - (-\cos\theta + 1) = \cos^2\theta + \cos\theta - 1$$

$$\frac{D_2}{4} = \tan^2\theta - 3$$

$$\frac{D_2}{4} = \tan^2\theta - 3 < 0 \iff -\sqrt{3} < \tan\theta < \sqrt{3}$$

$0 \leqq \theta < 90°$ において、$\tan\theta \geqq 0$ なので、

$\quad 0 \leqq \tan\theta < \sqrt{3}$ より $\quad 0° \leqq \theta < 60°$

よって、$0° \leqq \theta < 60°$ のとき ② は虚数解をもつ。

$60° \leqq \theta < 90°$ のとき、$0 < \cos\theta \leqq \dfrac{1}{2}$ なので、

$$\frac{D_1}{4} = \cos^2\theta + \cos\theta - 1 = \left(\cos\theta + \frac{1}{2}\right)^2 - \frac{5}{4}$$

$$\leqq \left(\frac{1}{2} + \frac{1}{2}\right)^2 - \frac{5}{4} = -\frac{1}{4} < 0$$

となり、① は虚数解をもつ。

以上より、与えられた $x$ についての 4 次方程式は、少なくとも 1 つの虚数解をもつので、題意は満たされた。

## *Point*

4 次方程式の係数に三角関数が使われていることに一瞬びっくりするかもしれません。しかし、2 次式の積が因数分解されていることから、判別式を 2 つ作れば解決できます。

問題89

(1)　$\cos 5\theta = f(\cos\theta)$ を満たす多項式 $f(x)$ を求めよ。

(2)　$\cos\dfrac{\pi}{10} \cos\dfrac{3\pi}{10} \cos\dfrac{7\pi}{10} \cos\dfrac{9\pi}{10} = \dfrac{5}{16}$ を示せ。

（京都大学　1996年）

(1)　パスカルの三角形を作図
してください。

右は参考図です。

$(\cos\theta + i\sin\theta)^5$

$= \cos 5\theta + i\sin 5\theta$

左辺を展開したときの実部は、

$\cos^5\theta - 10\cos^3\theta\sin^2\theta +$

$$\begin{array}{ccccccccccc}
 & & & & & 1 & & & & & \\
 & & & & 1 & & 1 & & & & \\
 & & & 1 & & 2 & & 1 & & & \\
 & & 1 & & 3 & & 3 & & 1 & & \\
 & 1 & & 4 & & 6 & & 4 & & 1 & \\
1 & & 5 & & 10 & & 10 & & 5 & & 1 \\
\end{array}$$

$5\cos\theta\sin^4\theta$ なので、

$\cos 5\theta = \cos^5\theta - 10\cos^3\theta\sin^2\theta + 5\cos\theta\sin^4\theta$

$\phantom{\cos 5\theta} = \cos^5\theta - 10\cos^3\theta(1-\cos^2\theta) + 5\cos\theta(1-\cos^2\theta)^2$

$\phantom{\cos 5\theta} = 16\cos^5\theta - 20\cos^3\theta + 5\cos\theta$

よって、求める多項式 $f(x)$ は、$f(x) = 16x^5 - 20x^3 + 5x$
である。

(2)　$\theta = \dfrac{\pi}{10},\ \dfrac{3\pi}{10},\ \dfrac{7\pi}{10},\ \dfrac{9\pi}{10}$ のそれぞれに対して、

$f(\cos\theta) = \cos 5\theta = 0$ を満たすので、この4つの $\cos\theta$
はすべて

$f(x) = 0$ の解である。

また、4つの $\cos\theta$ はいずれも 0 ではなく、どの2つも等
しくない。

$f(x) = x(16x^4 - 20x^2 + 5)$ なので、4つの $\cos\theta$ は $16x^4 - 20x^2 + 5 = 0$ の解である。

したがって、

$$16x^4 - 20x^2 + 5$$
$$= 16\left(x - \cos\frac{\pi}{10}\right)\left(x - \cos\frac{3\pi}{10}\right)$$
$$\cdot \left(x - \cos\frac{7\pi}{10}\right)\left(x - \cos\frac{9\pi}{10}\right)$$
$$= 0$$

右辺を展開したときの定数項を比較して（もしくは 4 次方程式の解と係数の関係より）、

$$\cos\frac{\pi}{10}\cos\frac{3\pi}{10}\cos\frac{7\pi}{10}\cos\frac{9\pi}{10} = \frac{5}{16}$$

*Point*

この問題では 5 倍角を聞かれました。5 倍角は、$\cos 5\theta = \cos(2\theta + 3\theta)$ として、2 倍角と 3 倍角を利用して求めることもできます。

---

**問題 90**

(1) 等式 $\displaystyle\lim_{x \to 0}\frac{\sin x}{x} = 1$ を証明せよ。

（名古屋市立大学　1968 年・弘前大学　2006 年　(2) 以降省略）

(2) 三角関数の極限に関する公式 $\displaystyle\lim_{x \to 0}\frac{\sin x}{x} = 1$ を示すことにより、$\sin x$ の導関数が $\cos x$ であることを証明せよ。

（大阪大学　2013 年）

---

(1)

i) $0 < x < \dfrac{\pi}{2}$ のとき、図におい

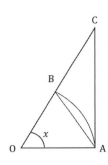

て面積を比較すると、

$\triangle \mathrm{OAB} < $ 扇形 $\mathrm{OAB} < \triangle \mathrm{OAC}$

なので、

$$\frac{1}{2} \cdot 1^2 \cdot \sin x < \frac{1}{2} \cdot 1^2 \cdot x$$
$$< \frac{1}{2} \cdot 1 \cdot \tan x$$

$\sin x < x < \dfrac{\sin x}{\cos x}$ を $\sin x$ で割ると、

$1 < \dfrac{x}{\sin x} < \dfrac{1}{\cos x}$

この式を逆数にする。

このとき、不等号の向きは反対になることに注意。

$$1 > \frac{\sin x}{x} > \cos x$$

$\therefore \cos x < \dfrac{\sin x}{x} < 1$　$\displaystyle \lim_{x \to +0} \cos x = 1$ なので、はさみ

うちの定理により、$\displaystyle \lim_{x \to +0} \frac{\sin x}{x} = 1$

ii)　$-\dfrac{\pi}{2} < x < 0$ のとき $-x = \theta$ とおくと、

$0 < \theta < \dfrac{\pi}{2}$ となり、$x \to -0$ のとき $\theta \to +0$ となる

から、

i) より $\displaystyle \lim_{x \to -0} \frac{\sin x}{x} = \lim_{\theta \to +0} \frac{\sin(-\theta)}{-\theta}$
$$= \lim_{\theta \to +0} \frac{\sin \theta}{\theta} = 1$$

よって、$\displaystyle\lim_{x \to 0} \frac{\sin x}{x} = 1$

(2) $(\sin x)' = \cos x$ の証明

$$\begin{aligned}
(\sin x)' &= \lim_{h \to 0} \frac{\sin(x+h) - \sin x}{h} \\
&= \lim_{h \to 0} \frac{\sin x \cos h + \cos x \sin h - \sin x}{h} \\
&= \lim_{h \to 0} \frac{\sin x(\cos h - 1) + \cos x \sin h}{h} \\
&= \lim_{h \to 0} \left\{ \frac{\sin x(\cos h - 1)}{h} + \frac{\cos x \sin h}{h} \right\}
\end{aligned}$$

左の分数の分母・分子に、$(\cos h + 1)$ をかけて、

$$\begin{aligned}
&= \lim_{h \to 0} \left\{ \frac{\sin x(\cos^2 h - 1)}{h(\cos h + 1)} + \frac{\cos x \sin h}{h} \right\} \\
&= \lim_{h \to 0} \left\{ \frac{-\sin x \sin^2 h}{(\cos h + 1) \cdot h} + \frac{\cos x \sin h}{h} \right\} \\
&= \lim_{h \to 0} \left\{ -\sin x \left( \frac{\sin h}{h} \right)^2 \frac{h}{\cos h + 1} \right. \\
&\qquad \left. + \cos x \frac{\sin h}{h} \right\}
\end{aligned}$$

$\displaystyle\lim_{x \to 0} \frac{\sin x}{x} = 1$ なので、$(\sin x)' = \cos x$

*Point*

(1) は、名古屋市立大学と弘前大学で同じ問題が出題されました。また、(2) はそこから $\sin x$ の微分が、$\cos x$ になることを証明する問題ですので、ここでまとめて紹介しました。

$(\sin x)' = \cos x$ 　 $(\cos x)' = -\sin x$ と三角関数の微分が、すっきりきれいな形でできるのは角度を度数法ではなく、弧度法で表しているからです。

$\displaystyle \lim_{x \to 0} \frac{\sin x}{x} = 1$ の証明の

$\dfrac{1}{2} \cdot 1 \cdot \sin x < \dfrac{1}{2} \cdot 1^2 \cdot x < \dfrac{1}{2} \cdot 1 \cdot \tan x$ という式は

弧度法なので、度数法では、

$\dfrac{1}{2} \cdot 1 \cdot \sin x < 1^2 \cdot \pi \dfrac{x}{360} < \dfrac{1}{2} \cdot 1 \cdot \tan x$ となり、

$\displaystyle \lim_{x \to 0} \frac{\sin x}{x} = \frac{\pi}{180}$ であるから、

$(\sin x)' = \dfrac{\pi}{180} \cos x$ となってしまいます。

# 第12章　図形融合問題

　数学の三大分野は「解析」「代数」「幾何」と言われていますが、それらは完全に独立しているわけではなくお互いに重なり合う部分があります。これまでも整数問題に微分の考え方を用いたりと分野を横断する出題は数多くあり、とてもユニークな問題が多数あります。

　ここでは、図形問題を中心におき、「図形と微分」「図形と整数」「図形と極限」「図形と関数」が融合した問題を紹介します。

$\angle$A $= \theta$ とおくと、問題文の条件から $\angle$B $= 2\theta$ となり、以下の図形が描ける。

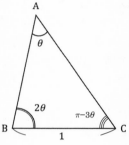

このとき、$\theta > 0$ かつ
$\theta + 2\theta < \pi = 3\theta$
なので、$0 < \theta < \dfrac{\pi}{3}$

また、$\angle$C $= \pi - 3\theta$, BC $= 1$
なので、正弦定理を用いて、
$$\frac{\text{BA}}{\sin(\pi - 3\theta)} = \frac{1}{\sin \theta}$$
$$\therefore \text{BA} = \frac{\sin(\pi - 3\theta)}{\sin \theta}$$
$$= \frac{\sin 3\theta}{\sin \theta}$$

したがって、$\triangle$ABC の面積を $S(\theta)$ とすると、
$$S(\theta) = \frac{1}{2}\text{BA} \cdot \text{BC} \sin 2\theta$$
$$= \frac{1}{2} \cdot \frac{\sin 3\theta}{\sin \theta} \cdot 1 \cdot 2 \sin \theta \cos \theta = \sin 3\theta \cos \theta$$
$$= \frac{1}{2}(\sin 4\theta + \sin 2\theta)$$
$$S'(\theta) = 2 \cos 4\theta + \cos 2\theta = 2(2\cos^2 2\theta - 1) + \cos 2\theta$$
$$= 4 \cos^2 2\theta + \cos 2\theta - 2$$

$$= 4 \left( \cos 2\theta - \frac{-1 - \sqrt{33}}{8} \right) \left( \cos 2\theta - \frac{-1 + \sqrt{33}}{8} \right)$$

$0 < 2\theta < \dfrac{2}{3}\pi$ だから $-\dfrac{1}{2} < \cos 2\theta < 1$

$\dfrac{-1 - \sqrt{33}}{8} < -\dfrac{1}{2} < \dfrac{-1 + \sqrt{33}}{8} < 1$ なので、

$\cos 2\theta = \dfrac{-1 + \sqrt{33}}{8}$ となる $\theta \left( 0 < \theta < \dfrac{\pi}{3} \right)$ を $\alpha$ とし

て増減表を書くと、

| $\theta$ | $0$ | $\cdots$ | $\alpha$ | $\cdots$ | $\dfrac{\pi}{3}$ |
|---|---|---|---|---|---|
| $S'(\theta)$ | | $+$ | $0$ | $-$ | |
| $S(\theta)$ | | ↗ | 最大 | ↘ | |

$S(\theta)$ は $\theta = \alpha$ で最大となるから、求める $\cos \angle \mathrm{B}$ の値は、

$$\cos \angle \mathrm{B} = \cos 2\alpha = \frac{-1 + \sqrt{33}}{8}$$

*Point*

三角形の内角の和が $\pi$ であることから、$\theta$ のとりうる値
の範囲を求め、$\angle \mathrm{C}$ を $\theta$ の式で表します。

$S(\theta)$ は $\theta$ で微分するので、2 つの三角関数の積ではなく
和で表しておきます。$S'(\theta)$ の符号ですが、$0 < \theta < \dfrac{\pi}{3}$ の

とき、$-\dfrac{1}{2} < \cos^2 \theta < 1$ より、

$$\cos 2\theta > \frac{-1+\sqrt{33}}{8} = \cos 2\alpha \iff (0<)\theta < \alpha\left(<\frac{\pi}{3}\right)$$

となります。

---

**問題 92**

三角形 ABC において、∠B = 60°、B の対辺の長さ $b$ は整数、他の 2 辺の長さ $a, c$ はいずれも素数である。このとき、三角形 ABC は正三角形であることを示せ。

(京都大学　1990 年)

---

余弦定理を用いて

$$b^2 = a^2 + c^2 - 2ac\cos 60°$$

$$= a^2 + c^2 - ac = (a-c)^2 + ac$$

$$\therefore b^2 - (a-c)^2 = ac \iff (b+a-c)(b-a+c) = ac$$

$a, b, c$ は三角形の 3 辺の長さなので、

$$b+a > c \text{ かつ } b+c > a$$

$$\iff b+a-c > 0 \text{ かつ } b-a+c > 0$$

$a, c$ は素数なので、積が $ac$ となるのは、

$$(b+a-c, \; b-a+c) = (a,c), (c,a), (ac,1), (1,ac)$$

のときのみで、$a$ と $c$ は入れ替えても同じ式になるので、$a \geqq c$ としても一般性は失われない。

よって、$\begin{cases} b+a-c = ac \\ b-a+c = 1 \end{cases}$ …①

または、$\begin{cases} b+a-c = a \\ b-a+c = c \end{cases}$ …②

① の場合、$ac - 1 = 2a - 2c \Leftrightarrow (a + 2)(c - 2) = -3$

$a + 2 > c - 2$ より、

$(a + 2, c - 2) = (3, -1), (1, -3)$

よって、$(a, c) = (1, 1), (-1, -1)$ となり、これは $a, c$ が素数であることに反する。

② の場合、$a = b = c$

以上より、三角形 ABC は正三角形である。

*Point*

余弦定理を用いて立式したあとは、よく見る整数問題に帰着されます。

三角形の存在条件（どの 1 辺を選んでも、選ばなかった他の 2 辺の長さの和は、選んだ 1 辺の長さより長い）を用いて、$b + a - c, b - a + c > 0$ を示すことを忘れないようにしてください。

---

**問題 93**

$n$ を自然数とする。半径 $\dfrac{1}{n}$ の円を互いに重なり合わないように半径 1 の円に外接させる。このとき外接する円の最大個数を $a_n$ とする。$\displaystyle \lim_{n \to \infty} \dfrac{a_n}{n}$ を求めよ。

（東京工業大学　1982 年）

---

（小円の直径の合計）$= \dfrac{2}{n} \times a_n = 2\pi \Leftrightarrow a_n = n\pi$

したがって、$\dfrac{a_n}{n} = \pi$

図のように設定する
と、半径 $\dfrac{1}{n}$ の円の最
大個数は、ぴったり隙間
なく並べられた場合で、
$\dfrac{2\pi}{2\theta_n}$ 個なので、

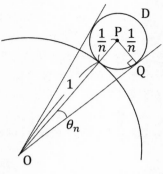

$$\dfrac{2\pi}{2\theta_n} - 1 < a_n \leqq \dfrac{2\pi}{2\theta_n}$$

辺々 $n\ (>0)$ で割る

と、 $\dfrac{\pi}{n\theta_n} - \dfrac{1}{n} < \dfrac{a_n}{n} \leqq \dfrac{\pi}{n\theta_n}$

$\sin\theta_n = \dfrac{\dfrac{1}{n}}{1 + \dfrac{1}{n}}$ より、

$$\lim_{n\to\infty}\dfrac{\sin\theta_n}{\theta_n} = \lim_{\theta\to0}\dfrac{\sin\theta_n}{\theta_n} = 1\ \left(\because \lim_{n\to\infty}\theta_n = 0\right)$$

を用いて、

$$\lim_{n\to\infty}\dfrac{\pi}{n\theta_n} = \lim_{n\to\infty}\dfrac{\pi\sin\theta_n}{n\theta_n\sin\theta_n}$$

$$= \lim_{n\to\infty}\pi\cdot\dfrac{\sin\theta_n}{\theta_n}\cdot\dfrac{1 + \dfrac{1}{n}}{n\times\dfrac{1}{n}} = \pi$$

よって $\displaystyle\lim_{n\to\infty}\left(\dfrac{\pi}{n\theta_n} - \dfrac{1}{n}\right) = \pi - 0 = \pi$

したがって、はさみうちの定理より、$\displaystyle\lim_{n\to\infty}\dfrac{a_n}{n} = \pi$

*Point*

この問題は直感で答えがわかってしまう問題です。

$n\to\infty$ なら、外接させて並べる小円の直径の合計が半径

1 の円の円周と一致することは想像に難くないでしょう。

---

### 問題 94

2 つの円 $x^2 + (y-2)^2 = 9$ と $(x-4)^2 + (y+4)^2 = 1$ に外接し、直線 $x = 6$ に接する円を求めよ。ただし、2 つの円がただ 1 点を共有し、互いに外部にあるとき、外接するという。

(名古屋大学　2008 年)

---

2 つの円の中心を、それぞれ $A(0, 2), B(4, -4)$ とし、求める円の中心を $P(a, b)$ とする。

2 つの円 A, B の位置より、求める外接円 P の $x$ 座標 $a$ は、$a < 6$ なので、求める円の半径 $r$ は、$r = 6 - a \; (> 0)$

2 つの円に外接することから、

$$AP = 3 + r \iff \sqrt{a^2 + (b-2)^2} = 9 - a \cdots ①$$
$$BP = 1 + r \iff \sqrt{(a-4)^2 + (b+4)^2} = 7 - a \cdots ②$$

① ② より、

$$a^2 + (b-2)^2 = a^2 - 18a + 81$$
$$(a-4)^2 + (b+4)^2 = a^2 - 14a + 49$$

すなわち、

$$(b-2)^2 = 81 - 18a \cdots ③$$
$$(b+4)^2 = 33 - 6a \cdots ④$$

③ $- 3 \times$ ④ を計算して、

$$(b-2)^2 - 3(b+4)^2 = -18$$
$$2(b^2 + 14b + 13) = 0$$

$$2(b + 13)(b + 1) = 0$$

$$\therefore b = -13, \ -1$$

$y = -1$ のとき $a = 4, \ r = 2$

$y = -13$ のとき、$a = -8, \ r = 14$

以上より、求める円は、

$$(x - 4)^2 + (y + 1)^2 = 4$$

$$(x + 8)^2 + (y + 13)^2 = 196$$

*Point*

まず、与えられた 2 つの円と直線 $x = 6$ を図示しましょう。すると、明らかに求める円の中心の $x$ 座標 $a$ が 6 以上になりえないことがわかります。これで求める円の半径 $r$ は、$r = 6 - a \ (> 0)$ と表すことができます。あとは円と円が外接するための条件を 2 本立式するだけです。

# 第13章　グラフで考察

　微分・積分の問題では増減表やグラフを描いて考察することは、問題をより理解しやすくするのに有効ですが、別段グラフを書かなくても数式計算だけでできる問題も少なくありません。ここでは、グラフの概形を描くことが必須で、しかも描けば視覚的に明らかな問題を紹介します。

　最近ではスマホのほぼ無料みたいな廉価な電卓アプリでもグラフを描画してくれるので、自分で描くのはちょっと大変な関数のグラフもあっという間に視覚で捉えることができて便利だし何より楽しいのでぜひ試してみてください。

　2020年の早稲田大学理工学部の試験で閉じていない領域の面積（つまり面積 $\infty$）を求めさせるという出題ミスがありました。出題者も文明の利器にちょっとは頼ってグラフを描かせて視覚で捉えればミスが防げたのに残念です。

**問題 95**

$a > 0, b > 0$ とする。座標平面上の曲線
$$C : y = x^3 - 3ax^2 + b$$
が、以下の 2 条件を満たすとする。

　　条件 1： $C$ は $x$ 軸に接する。

　　条件 2： $x$ 軸と $C$ で囲まれた領域（境界は含まない）
　　　　　　に、$x$ 座標と $y$ 座標がともに整数である点
　　　　　　がちょうど 1 個ある。

$b$ を $a$ で表し、$a$ のとりうる値の範囲を求めよ。

（東京大学　2020 年）

---

$f(x) = x^3 - 3ax^2 + b$ とおく。

$f'(x) = 3x^2 - 6ax = 3x(x - 2a)$ となる。

$a > 0$ より、$f(x)$ は $x = 0$ で極大値、$x = 2a$ で極小値
をとる。

$C$ は $x$ 軸に接し、かつ、$f(0) = b > 0$ なので、$C$ は図の
ようになる。

$f(2a) = 8a^3 - 12a^3 + b = 0$

$\therefore b = 4a^3$

境界線が $x$ 軸（直線 $y = 0$）なので、領域にただ 1 つ
格子点が存在するとすれば、図より明らかに直線 $y = 1$
上にある。

つまり、領域内の唯一の格子点は $(0, 1)$ で、それ以外は

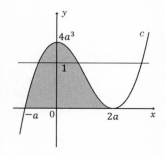

存在しないような $a \, (> 0)$ の範囲を求めればよい。

図より求める条件は次のとおり。

$$\begin{cases} 1 < f(0) \leqq 2 \cdots ① \\ f(-1) \leqq 1 \cdots ② \\ f(1) \leqq 1 \cdots ③ \end{cases}$$

① $\Leftrightarrow 1 < 4a^3 \leqq 2 \Leftrightarrow \dfrac{1}{\sqrt[3]{4}} < a \leqq \dfrac{1}{\sqrt[3]{2}}$

② $\Leftrightarrow -1 - 3a + 4a^3 \leqq 1 \Leftrightarrow 4a^3 - 3a \leqq 2 \cdots (イ)$

③ $\Leftrightarrow 1 - 3a + 4a^3 \leqq 1 \Leftrightarrow 4a^3 - 3a \leqq 0 \cdots (ロ)$

(ロ) を満たせば (イ) も満たすので、求める $a$ の範囲は、
① と ③ の共通部分となる。

$$4a^3 - 3a \leqq 0 \Leftrightarrow a(4a^2 - 3) \leqq 0,$$

$a > 0$ なので $0 < a \leqq \dfrac{\sqrt{3}}{2}$

ここで、$\dfrac{1}{\sqrt[3]{2}}$ と $\dfrac{\sqrt{3}}{2}$ の大小関係を求める。

それぞれを 6 乗すると、

$$\left( \dfrac{1}{\sqrt[3]{2}} \right)^6 = \dfrac{1}{4}, \ \left( \dfrac{\sqrt{3}}{2} \right)^6 = \dfrac{27}{64}$$

$$\therefore \ \dfrac{1}{\sqrt[3]{2}} < \dfrac{\sqrt{3}}{2}$$

よって、求める $a$ の範囲は、$\dfrac{1}{\sqrt[3]{4}} < a \leqq \dfrac{1}{\sqrt[3]{2}}$

*Point*

$a$ についての 3 次不等式 $4a^3 - 3a \leqq 2 \ \cdots \ (イ)$ を解
こうとしても、もとになる 3 次方程式 $4a^3 - 3a = 2 \Leftrightarrow$

$4a^3 - 3a - 2 = 0$ はカルダノの公式を用いないと解くこと
ができません。ところが、（イ）と $4a^3 - 3a \leqq 0 \cdots$（ロ）
はいずれも左辺が一致しており、$4a^3 - 3a \leqq 0 \leqq 2$ ですか
ら、（ロ）の解は（イ）に含まれる（③ ⇒② である）ため、
連立不等式「① かつ ② かつ ③」は「① かつ ③」と同値
であることに注意すれば、この連立不等式を解くことができ
ます。

---

**問題 96**

　関数 $f(x) = \dfrac{a^x + a^{-x}}{a^x - a^{-x}}$ について次の問に答えよ。た
だし、$a$ は定数であり、$a > 0$ かつ $a \neq 1$ とする。
(1)　関数 $f(x)$ のとり得る値の範囲を求めよ。
(2)　方程式 $f(x) - bx = 0$ の解が存在するための定数
　　$a, b$ の満たすべき条件を求めよ。

（名古屋大学　1994 年）

---

(1)　$a^x = X (> 0)$ として、$f(x)$ の分母と分子に $X$ をか
　　けると、

$$f(x) = g(X) = \frac{X^2 + 1}{X^2 - 1} = 1 + \frac{2}{X^2 - 1}$$

$X^2 - 1 = t \ (> -1)$ とおくと、

$$f(x) = g(X) = h(t) = \frac{2}{t} + 1$$

$h(t)$ のグラフは図のようになるので、

$h(t) = f(x) < -1$ または $h(t) = f(x) > 1$

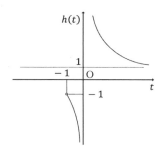

(2)　$f(x)$ を微分して増減を調べるのは大変そうなので、微分せずに $f(x)$ の概形を考えてみる。

(1) で $f(x) < -1$, $1 < f(x)$ であることがわかり、また、$x = 0$ のとき $f(x)$ の分母が 0 になることから、$f(x)$ は、$x \to \pm\infty$ で $\pm 1$ に収束し（複号同順）、$x \to \pm 0$ で $\pm\infty$ に発散する（複号同順）ことが予想できる。

(i)　$a > 1$ のとき

$$f(x) = \frac{a^x + a^{-x}}{a^x - a^{-x}} = \frac{1 + a^{-2x}}{1 - a^{-2x}} \quad \lim_{x \to +\infty} f(x) = 1$$

$$f(x) = \frac{a^x + a^{-x}}{a^x - a^{-x}} = \frac{a^{2x} + 1}{a^{2x} - 1} \quad \lim_{x \to -\infty} f(x) = -1$$

$x > 0$ のとき、

　$a^x > 1 > a^{-x}$

　　$\lim_{x \to +0} f(x) = +\infty$

$x < 0$ のとき、

　$a^{-x} > 1 > a^x$

　　$\lim_{x \to -0} f(x) = -\infty$

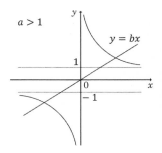

275

(ii)  $0 < a < 1$ のとき

$$f(x) = \frac{a^x + a^{-x}}{a^x - a^{-x}} = \frac{1 + a^{-2x}}{1 - a^{-2x}} \quad \lim_{x \to -\infty} f(x) = 1$$

$$f(x) = \frac{a^x + a^{-x}}{a^x - a^{-x}} = \frac{a^{2x} + 1}{a^{2x} - 1} \quad \lim_{x \to +\infty} f(x) = -1$$

$x < 0$ のとき、

$\quad a^x > 1 > a^{-x}$

$\qquad \lim_{x \to -0} f(x) = +\infty$

$x > 0$ のとき、

$\quad a^{-x} > 1 > a^x$

$\qquad \lim_{x \to +0} f(x) = -\infty$

以上より、$f(x)$ のグラフ
の概形は図のようになる。

よって、求める $a, b$ の条件は、$(a > 1$ かつ $b > 0)$
または $(0 < a < 1$ かつ $b < 0)$

*Point*

$\quad f(x) = \dfrac{a^x + a^{-x}}{a^x - a^{-x}}$ を微分して増減を調べるのはとても
大変です。また、$x = 0$ のとき $f(x)$ の分母が $0$ になってし
まうので、$\displaystyle\lim_{x \to \pm 0} f(x)$、そして $\displaystyle\lim_{x \to \pm\infty} f(x)$ の値がどうな
るかを検討すればグラフの概形を知ることができます。

# 第14章　数学オリンピック予選問題

　日本数学オリンピックは、大学教育を受けていない20歳未満の方に出場資格があります。これは国際数学オリンピックへの選手選考を兼ねた大会です。

　まず、予選は3時間で12問、答えのみ記入します。予選突破ラインは、人数で決まるため、年によって異なりますが、最低5〜8問程度解けることが条件だといわれています。思考力、発想力を必要とする、ユニークな問題が出題されることで知られています。

　国際数学オリンピックでは、上位 $\frac{1}{12}$ に金メダル、次の $\frac{2}{12}$ に銀メダル、次の $\frac{3}{12}$ に銅メダルが授与され、日本は多くの金メダリストを輩出した強豪国の1つです。

　さて、大学入試とは異なりますが、ここからは数学の問題の仕上げとして、日本数学オリンピック予選の問題から、腕試しに挑戦してもらいたいという4問を紹介します。ぜひ楽しみながら解いてください。

**問題 97**

$_{40}\mathrm{C}_{20}$ を 41 で割った余りを求めよ。

（日本数学オリンピック予選　2000 年）

$_{40}\mathrm{C}_{20} = \dfrac{40 \cdot 39 \cdot 38 \cdot 37 \cdot \cdots \cdot 22 \cdot 21}{20!}$ の両辺に $20!$ を

かけると、

$$(20!)_{40}\mathrm{C}_{20} = 40 \cdot 39 \cdot 38 \cdot 37 \cdots 22 \cdot 21$$

$$\equiv (-1)(-2)(-3)(-4)$$

$$\cdots (-19)(-20) \pmod{41}$$

$$= 20!$$

$$\therefore (20!)_{40}\mathrm{C}_{20} \equiv 20! \pmod{41}$$

$20!$ と 41 は互いに素なので両辺を $20!$ で割ることができ
ます。

$$\therefore {}_{40}\mathrm{C}_{20} \equiv 1 \pmod{41}$$

$_{40}\mathrm{C}_{20}$ を 41 で割った余りは 1

*Point*

合同式は法（この場合は 41）と互いに素ならば割り算が
できるということを使えばすぐに解ける問題です。逆にそ
れを使わないで答えにたどり着く方法は思い浮かびません。

**問題 98**

　10!の正の約数 $d$ すべてについて $\dfrac{1}{d + \sqrt{10!}}$ を足し合わせたものを計算せよ。

（日本数学オリンピック予選　2014 年）

　まずは 10! を素因数分解すると、$10! = 2^p \cdot 3^g \cdot 5^r \cdot 7^s$（$p, g, r, s$ は自然数）という形に書くことができる。ここで、

$$p = \left[\frac{10}{2}\right] + \left[\frac{10}{2^2}\right] + \left[\frac{10}{2^3}\right] = 8$$

$$g = \left[\frac{10}{3}\right] + \left[\frac{10}{3^2}\right] = 4$$

$$r = \left[\frac{10}{5}\right] = [2],\ s = \left[\frac{10}{7}\right] = 1\ \text{であるから、}$$

$$10! = 2^8 \cdot 3^4 \cdot 5^2 \cdot 7^1$$

　よって、10! には正の約数が

$(8+1)(4+1)(2+1)(1+1) = 270$ 個ある。

　それらを小さい順に $d_1, d_2, d_3, \cdots, d_{270}$ とする。

　求める値は、

$$\frac{1}{1 + \sqrt{10!}} + \frac{1}{2 + \sqrt{10!}} + \frac{1}{3 + \sqrt{10!}} + \cdots$$
$$+ \frac{1}{\dfrac{10!}{3} + \sqrt{10!}} + \frac{1}{\dfrac{10!}{2} + \sqrt{10!}} + \frac{1}{10! + \sqrt{10!}}$$

である。$\sqrt{10!} = t$ とすると、

$$\frac{1}{1 + \sqrt{10!}} + \frac{1}{10! + \sqrt{10!}} = \frac{1}{1 + t} + \frac{1}{t^2 + t}$$

$$= \frac{t+1}{t(1+t)} = \frac{1}{t}$$

$$\frac{1}{2 + \sqrt{10!}} + \frac{1}{\dfrac{10!}{2} + \sqrt{10!}} = \frac{1}{2 + t} + \frac{1}{\dfrac{t^2}{2} + t}$$

$$= \frac{t+2}{t(2+t)} = \frac{1}{t}$$

である。一般に、

$$d_n d_{271-n} = 10!$$

$$\frac{1}{d_n + \sqrt{10!}} + \frac{1}{d_{271-n} + \sqrt{10!}}$$

$$= \frac{1}{d_n + \sqrt{10!}} + \frac{1}{\dfrac{10!}{d_n} + \sqrt{10!}}$$

$$\left( n \text{ は } \frac{270}{2} \text{ 以下の正の整数} \right)$$

$$= \frac{1}{d_n + t} + \frac{1}{\dfrac{t^2}{d_n} + t} = \frac{1}{d_n + t} + \frac{d_n}{t^2 + d_n t}$$

$$= \frac{t + d_n}{t(d_n + t)} = \frac{1}{t}$$

である。よって、求める総和は、

$$\frac{1}{t} \times \frac{270}{2} = \frac{270}{\sqrt{10!} \times 2} = \frac{3}{16\sqrt{7}}$$

*Point*

　ガウスが少年時代に考えた等差数列の和を求める手法は、こんな場面でも役に立つのです！　また、実数 a に対して、その整数部分（実数 a 以下の整数のうち、最大の数）を [a]

と記しますが、この a を前後に囲った記号 [ ] をガウス記号といいます。

　例：$[1.4] = 1$，$[-2.8] = -3$（$-2$ ではない！）

---

**問題 99**

　　$1111^{2018}$ を $11111$ で割った余りを求めよ。

（日本数学オリンピック予選　2018 年）

---

$1111 = 11111 - 10000$

$1111^{2018} = (11111 - 10000)^{2018}$

$\qquad\qquad \equiv (-10000)^{2018} = (-10^4)^{2018} = (10^4)^{2018}$

$\qquad\qquad = 10^{4 \cdot 2018} \pmod{11111}$

$100000 = 10^5 = 11111 \times 9 + 1 \equiv 1 \pmod{11111}$

$4 \cdot 2018 \equiv 4 \cdot 8 \equiv 2 \pmod 5$

$10^{4 \cdot 2018} = (10^5)^a 10^2$（実際には、$a = 1614$ だが、

mod1111 をとるにあたっては、$a$ の値を必ずしも

具体的に求めなくともよい）

$10^5 \equiv 1 \pmod{11111}$ で、

$1111^{2018} \equiv 10^{4 \cdot 2018} = (10^5)^a 10^2$

$\qquad\qquad \equiv 10^2 = 100 \pmod{11111}$

よって余りは $100$

---

*Point*

合同式の基本性質を使えば解けますが、

$$1111 \equiv -10000 = -10^4 \quad (\text{mod } 11111)$$
$$100000 = 10^5 \equiv 1 \quad (\text{mod } 11111)$$

を出発点として、$1111^{2018}$ が 11111 を法として、ある 10 の累乗と合同であることを示せばよい、と見通しをつけることが大事です。

---

**問題 100**

2001 個の自然数 1, 2, 3, $\cdots$, 2001 の中から何個かの数を一度に選ぶとき、選んだ数の総和が奇数であるような選び方は何通りあるか。

ただし、1 個も選ばないときはその総和は 0 であると約束する。また、2001 個すべてを選んでもよい。

（日本数学オリンピック予選　2001 年）

---

総和が偶数になるか奇数になるかを気にせずに、1 から順番にそれぞれの数字を選ぶか選ばないかを決めていく。それぞれの数字は選ぶか選ばないかの 2 通りなので、1 から 2000 までのどの数字を選ぶか、その場合の数は $2^{2000}$ 通りある。

1 から 2000 までの中から選んだ数字の総和が偶数ならば、2001 を選べば総和は奇数になり、1 から 2000 までの中から選んだ数字の総和が奇数ならば、2001 を選ばなければ総和は奇数になる。

すなわち、残り 1 つまでは好き勝手に選び（$2^{2000}$ 通り）、総和を奇数にするためには最後の 1 つは選択の余地がないということである。したがって、選んだ数の総和が奇数であ

るような選び方は $2^{2000}$ 通り。

*Point*
　あらためて数学は思考力と論理力を必要とすることがわかると思います。

# 出題校一覧